中國文化二十四品

中国文化二十四品

饶宗颐 叶嘉莹 顾问

陈洪 徐兴无 主编

采菊东篱

诗酒流连的生活美学

陶慕宁 著

江苏人民出版社

图书在版编目（ＣＩＰ）数据

采菊东篱 ：诗酒流连的生活美学 / 陶慕宁著. --
南京 ：江苏人民出版社，2017.1
　（中国文化二十四品）
　ISBN 978-7-214-17396-6

　Ⅰ．①采… Ⅱ．①陶… Ⅲ．①生活－美学－中国－古
代 Ⅳ．①B834.3

中国版本图书馆CIP数据核字(2016)第048214号

书　　　　名	采菊东篱——诗酒流连的生活美学
著　　　者	陶慕宁
责 任 编 辑	卞清波
责 任 校 对	孙　立
装 帧 设 计	刘葶葶　张大鲁
出 版 发 行	凤凰出版传媒股份有限公司
	江苏人民出版社
出版社地址	南京市湖南路 1 号 A 楼，邮编:210009
出版社网址	http://www.jspph.com
经　　　销	凤凰出版传媒股份有限公司
照　　　排	南京凯建图文制作有限公司
印　　　刷	江苏凤凰通达印刷有限公司
开　　　本	652 毫米×960 毫米　1/16
印　　　张	12　　插页 3
字　　　数	135 千字
版　　　次	2017 年 1 月第 1 版　2017 年 3 月第 2 次印刷
标 准 书 号	ISBN 978 - 7 - 214 - 17396 - 6
定　　　价	28.00 元

（江苏人民出版社图书凡印装错误可向承印厂调换）

编委会名单

总　序

陈　洪　徐兴无

　　我们生活在文化之中,"文化"两个字是挂在嘴边上的词语,可是真要让我们说清楚文化是什么,可能就会含糊其词、吞吞吐吐了。这不怪我们,据说学术界也有160多种关于文化的定义。定义多,不意味着人们的思想混乱,而是文化的内涵太丰富,一言难尽。1871年,英国文化人类学家爱德华·泰勒的《原始文化》中给出了一个定义:"文化,或文明,就其广泛的民族学意义上来说,是包含全部的知识、信仰、艺术、道德、法律、风俗,以及作为社会成员的人所掌握和接受的任何其他的才能和习惯的复合体。"[①]其实,所谓"文化",是相对于所谓"自然"而言的,在中国古代的观念里,自然属于"天",文化属于"人",只要是人类的活动及其成果,都可以归结为文化。孔子说:"饮食男女,人之大欲存焉。"[②]在这种自然欲望的驱动下,人类的活动与创造不外乎两类:生产与生殖;目标只有两个:生存与发展。但是人的生殖与生产不再是自然意义上的物种延续与食物摄取,人类生产出物质财富与精神财富,不再靠天吃饭,人不仅传递、交换基因和大自然赋予的本能,还传承、交流文化知识、智慧、情感与信仰,于是人种的繁殖与延续也成了文化的延续。

　　所以,文化根源于人类的创造能力,文化使人类摆脱了

---

　　① ［英］爱德华·泰勒:《原始文化》,连树声译,谢继胜、尹虎彬、姜德顺校,广西师范大学出版社,2005年,第1页。

　　② 《礼记·礼运》。

自然,创造出一个属于自己的世界,让自己如鱼得水一样地生活于其中,每一个生长在人群中的人都是有文化的人,并且凭借我们的文化与自然界进行交换,利用自然、改变自然。

由于文化存在于永不停息的人类活动之中,所以人类的文化是丰富多彩、不断变化的。不同的文化有不同的方向、不同的特质、不同的形式。因为有这些差异,有的文化衰落了甚至消失了,有的文化自我更新了,人们甚至认为:"文化"这个术语与其说是名词,不如说是动词。① 本世纪初联合国发布的《世界文化报告》中说,随着全球化的进程和信息技术的革命,"文化再也不是以前人们所认为的是个静止不变的、封闭的、固定的集装箱。文化实际上变成了通过媒体和国际因特网在全球进行交流的跨越分界的创造。我们现在必须把文化看作一个过程,而不是一个已经完成的产品"②。

知道文化是什么之后,还要了解一下文化观,也就是人们对文化的认识与态度。文化观首先要回答下面的问题:我们的文化是从哪里来的? 不同的民族、宗教、文化共同体中的人们的看法异彩纷呈,但自古以来,人类有一个共同的信仰,那就是:文化不是我们这些平凡的人创造的。

有的认为是神赐予的,比如古希腊神话中,神的后裔普罗米修斯不仅造了人,而且教会人类认识天文地理、制造舟车、掌握文字,还给人类盗来了文明的火种。代表希伯来文化的《旧约》中,上帝用了一个星期创造世界,在第六天按照自己的样子创造了人类,并教会人们获得食物的方法,赋予人类管理世界的文化使命。

---

① 参见[荷兰]C. A. 冯·皮尔森:《文化战略》,刘利圭等译,中国社会科学出版社,1992年,第2页。

② 联合国教科文组织编:《世界文化报告——文化的多样性、冲突与多元共存》,关世杰等译,北京大学出版社,2002年,第9页。

有的认为是圣人创造的,这方面,中国古代文化堪称代表:火是燧人氏发现的,八卦是伏羲画的,舟车是黄帝造的,文字是仓颉造的……不过圣人创造文化不是凭空想出来的,而是受到天地万物和自我身体的启示,中国古老的《易经》里说古代圣人造物的方法是:"仰则观象于天,俯则观法于地,观鸟兽之文与地之宜,近取诸身,远取诸物。"《易经》最早给出了中国的"文化"和"文明"的定义:"刚柔交错,天文也。文明以止,人文也。观乎天文,以察时变;观乎人文,以化成天下。"文指文采、纹理,引申为文饰与秩序。因为有刚、柔两种力量的交会作用,宇宙摆脱了混沌无序,于是有了天文。天文焕发出的光明被人类效法取用,于是摆脱了野蛮,有了人文。圣人通过观察天文,预知自然的变化;通过观察人文,教化人类社会。《易经》还告诉我们:"一阴一阳之谓道,继之者善也,成之者性也。仁者见之谓之仁,知者见之谓之知。"宇宙自然中存在、运行着"道",其中包含着阴阳两种动力,它们就像男人和女人生育子女一样不断化生着万事万物,赋予事物种种本性,只有圣人、君子们才能受到"道"的启发,从中见仁见智,这种觉悟和意识相当于我们现代文化学理论中所谓的"文化自觉"。

为什么圣人能够这样呢?因为我们这些平凡的百姓不具备"文化自觉"的意识,身在道中却不知道。所以《易经》感慨道:"百姓日用而不知,故君子之道鲜矣。"什么是"君子之道鲜"?"鲜"就是少,指的是文化不昌明,因此必须等待圣人来启蒙教化百姓。中国文化中的文化使命是由圣贤来承担的,所以孟子说,上天生育人民,让其中的"先知觉后知""先觉觉后觉"[①]。

---

① 《孟子·万章》。

无论文化是神灵赐予的还是圣人创造的,都是崇高神圣的,因此每个文化共同体的人们都会认同、赞美自己的文化,以自己的文化价值观看待自然、社会和自我,调节个人心灵与环境的关系,养成和谐的行为方式。

　　中国现在正处在一个喜欢谈论文化的时代。平民百姓关注茶文化、酒文化、美食文化、养生文化,说明我们希望为平凡的日常生活寻找一些价值与意义。社会、国家关注政治文化、道德文化、风俗文化、传统文化、文化传承与创新,提倡发扬优秀的传统文化,说明我们希望为国家和民族寻求精神力量与发展方向。神和圣人统治、教化天下的时代已经成为历史,只有我们这些平凡的百姓都有了"文化自觉",认识到我们每个人都是文化的继承者和创造者,整个社会和国家才能拥有"文化自信"。

　　不过,我们越是在摆脱"百姓日用而不知"的"文化蒙昧"时代,就越是要反思我们的"文化自觉",因为"文化自觉"是很难达到的境界。喜欢谈论文化,懂点文化,或者有了"文化意识"就能有"文化自觉"吗?答案是否定的。比如我们常常表现出"文化自大"或者"文化自卑"两种文化意识,为什么会这样呢?因为我们不可能生活在单一不变的文化之中,从古到今,中国文化不断地与其他文化邂逅、对话、冲突、融合;我们生活在其中的中国文化不仅不再是古代的文化,而且不停地在变革着。此时我们或者会受到自身文化的局限,或者会受到其他文化的左右,产生错误的文化意识。子在川上曰:"逝者如斯夫。"流水如此,文化也如此。对于中国文化的主流和脉络,我们不仅要有"春江水暖鸭先知"一般的亲切体会和细微察觉,还要像孔子那样站在岸上观察,用人类历史长河的时间坐标和全球多元文化的空间坐标定位中国文化,才能获得超越的眼光和客观真实的知识,增强与其他文化交

流、借鉴、融合的能力,增强变革、创新自己的文化的能力,这也叫做"文化自主"的能力。中国当代社会人类学家费孝通先生说:

> "文化自觉"是当今时代的要求,它指的是生活在一定文化中的人对其文化有自知之明,并对其发展历程和未来有充分的认识。也许可以说,文化自觉就是在全球范围内提倡"和而不同"的文化观的一种具体体现。希望中国文化在对全球化潮流的回应中能够继往开来,大有作为。[①]

因为要具备"文化自觉"的意识、树立"文化自信"的心态、增强"文化自主"的能力,所以,我们这些平凡的百姓需要不断地了解自己的文化,进而了解他人的文化。

中国文化是我们自己的文化,它博大精深,但也不是不得其门而入。为此,我们这些学人们集合到一起,共同编写了这套有关中国文化的通识丛书,向读者介绍中国文化的发展历程、特征、物质成就、制度文明和精神文明等主要知识,在介绍的同时,帮助读者选读一些有关中国文化的经典资料。在这里我们特别感谢饶宗颐和叶嘉莹两位大师前辈的指导与支持,他们还担任了本丛书的顾问。

中国文化崇尚"天人合一",中国人写书也有"究天人之际,通古今之变"的理想,甚至将书中的内容按照宇宙的秩序罗列,比如中国古代的《周礼》设计国家制度,按照时空秩序分为"天地春夏秋冬"六大官僚系统;吕不韦编写《吕氏春

[①] 费孝通:《经济全球化和中国"三级两跳"中的文化思考》,《光明日报》2000年11月7日。

秋》,按照一年十二月为序,编为《十二纪》;唐代司空图写作《诗品》品评中国的诗歌风格,又称《二十四诗品》,因为一年有二十四个节气。我们这套丛书,虽不能穷尽中国文化的内容,但希望能体现中国文化的趣味,于是借用了"二十四品"的雅号,奉献一组中国文化的小品,相信读者一定能够以小知大,由浅入深,如古人所说:"尝一脔肉,而知一镬之味,一鼎之调。"

2015 年 7 月

目　录

绪　言

这里所谈的中国古人指有文献记载的民国以前的中国人,也就是从商周到清末三千多年来的国人。商朝以前的中国人的生活因为文献稀少,难于考信,所以留待考古学家去揭示,而民国距今不远,还谈不上古,所以也置而不论。不同的历史时期通常会由政治的变革与文化的转型而显示出与其他阶段的差异性,而政治、文化的变革又必然会影响人的思想和生活态度,比如魏晋士人的人生观和生活态度就与那个时代有着不可分割的联系,而元代文人普遍的神仙道化思想也是元朝特定时代的产物。本书着重阐述中国传统文化中一以贯之、影响深远并且区别于其他文化的世界观、人生理念与生活旨趣,通过山水园林、饮食游乐来揭示中国人独有的人生态度和生活美学。

美食意趣：生存需求的提升

　　华夏文明主要起源于黄河中下游，相对封闭而优裕的地理环境造就了发达的农业社会，并影响到江淮流域、珠江流域以及西北地区，在此基础上形成了丰厚灿烂的中华文化。商周时期已经造就了高度文明的礼制社会，以基于血缘关系的家族宗法制度维系各等级的人群，而这个制度的核心就是"礼"。人的所有活动都纳入礼的范畴，从男女成人的冠礼、笄礼，到乡里士族的节令聚会——乡饮酒礼，再到底层贵族的见面——士相见礼，直到最高级别的祭神祭祖，都有一套礼制规范，既有对人的尊重，同时也包含着对人的思想和行为的约束。《礼记·礼运》说："夫礼之初，始诸饮食。"也就是说：制礼的初衷，是从人的最根本需要——饮食开始的。所以一切围绕礼的活动，也都离不开饮食。有人说，中国人是

3

特别看重吃的民族,从特定的意义上讲并不错。直到今天,中国人的婚丧嫁娶、庆寿贺节,不是总离不开吃么?春秋时管仲讲"王者以民为天,民以食为天"。《尚书·洪范》讲"农用八政",第一就是"食",可见统治者是多么重视吃的问题。

后世发掘出来的商周时期的青铜器,如鼎、尊、爵、觥、簋、瓠、卮、斝,绝大部分是食器、饮器,再看《周礼·天官》,里面的膳夫、庖人、内饔、外饔、亨人、腊人、浆人、醢人、醯人、盐人,都是伺候天子、贵族吃喝的。东汉的郑玄说:"膳之言善也,今时美物曰'珍膳'。"美食就是珍膳。鼎,首先是烹制菜肴的器具,其次才是权力的象征。打算推翻一个王朝,叫"问鼎",还是和吃分不开。尊和爵都是酒器,同时又标示人的地位。尊是高贵,爵是官位。商周时期那么多繁琐的礼仪,最隆重的是天子敬天祭神,用的是牛、羊、豕。礼的另一个重要方面则是通过饮食来维系人际关系,《周礼·大宗伯》说:"以饮食之礼,亲宗族兄弟。以飨燕之礼,亲四方之宾客。以脤膰之礼,亲兄弟之国。"亲族兄弟之间、主人宾客之间、诸侯各国之间的和睦友爱,都贯串着美食美酒的馈赠与分享,这个传统,延续了几千年。直到今天,再穷的人家,来了亲朋好友,也会把最好的食物拿出来给客人吃。

国学大师王国维曾经说过,"食者,形而下也"。虽有道理,却并非完全如此。早在百家争鸣、处士横议的春秋战国时期,饮食就被各家各派广泛地用来比拟治国理政的方针策略。从老庄、孔孟到《吕氏春秋》,从《周易》到《诗经》,都有大量的篇章涉及饮食,以饮食比喻做人的道理,隐括治国的道术。商汤的开国宰相伊尹就是位高明的厨师,他用五味调和的理论说服了汤,而且用"调和鼎鼐"的方法把国家引向大治。儒家涉及饮食的文字尤其丰富,孔子说:

食不厌精，脍不厌细。食饐而餲，鱼馁而肉败，不食。色恶，不食。失饪，不食。不时，不食。割不正，不食。不得其酱，不食。肉虽多，不使胜食气。惟酒无量，不及乱。沽酒市脯不食。不撤姜食。不多食。祭于公，不宿肉。祭肉，不出三日，出三日，不食之矣。食不语，寝不言。虽蔬食菜羹瓜祭，必齐如也。

强调吃的要精细，绝不吃腐败变色的食物，吃饭要按时，吃得要有节制，酒可以多喝，但不能撒酒疯。用于祭祀的肉一定要是鲜肉，过了三天就不能吃了。吃饭、睡觉时不讲话，因为嘴里容易有异味。即使是用蔬食、菜羹、瓜果这样普通的食物祭祀祖先，也一定要非常恭敬。再看《孟子》"鱼与熊掌"的著名论断："鱼，我所欲也，熊掌，亦我所欲也；二者不可得兼，舍鱼而取熊掌者也。生，亦我所欲也，义，亦我所欲也；二者不可得兼，舍生而取义者也。"讲的是饮食，其实却是做人的道理。在儒家思想的培育影响之下，饮食早就成了敦睦家族、礼让宾客、维系亲情、治国理政的华夏文化基因。

如此发达的饮食文化在三千年中自然孕育出无数的烹饪大师、美食家以及茶圣、酒神，他们当中有的是王侯将相、妃嫔媵嫱、文人士子、隐士山人，也不乏市井细民、引车贩浆者流。如唐代世袭的郇国公韦陟，他家的郇公厨当时即名扬四海。而宋朝的一个街市上卖鱼羹的宋五嫂竟把她的鱼羹从汴京搬到了杭州，贯穿了北宋到南宋的家国兴亡史，以致享有盛名。还有不胜枚举的饮食著作，从北魏贾思勰的《齐民要术》到唐代韦巨源的《食谱》、郑望的《膳夫录》，宋代太子的食单《玉食批》、林洪的《山家清供》到元朝忽思慧《饮膳正要》，直到清朝李渔的《闲情偶寄》、袁枚的《随园食单》、童岳荐的《调鼎集》，加上无数的《蟹谱》、《茶经》、《酒谱》、《糖霜谱》等等，真可谓琳琅满目，美不胜收。

中国的饮食文化精深博大，含蕴无穷，可以引喻政治，体味人生，参悟玄理，阐明道术，助资博物，提供品评。饮食在如今的中国早已超越了果腹这个基本生存需要的层面，而进入了享受、品味的较高级水平，但要想成为一个美食家，则必须兼具四个方面的能力质素：第一，要有广博的见识、兼收并蓄的襟怀、敏锐的味觉、四方的经历，雅俗精粗的食物，都亲自品尝过。第二，要读书多而且杂，谈吐幽默，落笔成趣，能把饮食的精妙特色写出来。第三，要有曲折的经历，最好有过沉浮显晦的人生历程，吃过好的，也饿过肚子。第四，要超越功利，追求无欲之欲。最好是亲朋好友之间，一边品尝美味，一边谈有趣的话题。如果是生意场上，一边吃喝，一边心里想的是怎么赚对方的钱；或者公款吃喝的官宴，心里想着如何让领导喝好吃好，就算桌上摆的是龙肝凤髓、燕窝鱼翅，吃到嘴里也是没味的。

山水情怀：天人合一的境界

　　司马迁在《报任安书》中阐述他撰写《史记》的动机是要"究天人之际，通古今之变，成一家之言"。其实，早于司马迁一千多年前的中国古代哲人就已经在思考天与人的关系了。从早期的敬天尊祖到嗣后的天人合一，中国人的天道宇宙观念逐渐形成，与西方哲学将宇宙自然与人类对立、"征服自然"的观念不同，中国哲学认为宇宙自然是一个有机整体，人和自然宇宙的关系是彼此依存、和谐相感的；人应当顺乎自然天道，不能逆天而行。《周易·乾卦·文言》讲："'大人'者与天地合其德，与日月合其明，与四时合其序，与鬼神合其吉凶，先天而天不违，后天而奉天时。"《中庸》也讲"天命之谓性，率性之谓道，修道之谓教"，说的都是天道与人道相通。朱熹更认为："天人一物，内外一理；流通贯彻，初无间隔。"这样的天人观念对中国人的衣食住行、文学艺术产生了无穷的影响。山石草木、江河湖泊，在画家、文人的笔下，都洋溢着郁勃的生机，流动着作家的情感。王国维在《人间词话》中谈道："有有我之境，有无我之境。……无我之境，不知何者为我，何者为物。"正是主体与客体浑融交感，物我两忘的境界。

　　正是因为有了"天人合一"的宇宙观念，山水草木在中国人的心目中，也就成了有生命、有性情的客体。到了诗人的笔下，人与自然山水竟可以成为知己，互相感应，浑融无间。李白的《独坐敬亭山》诗云：

　　　　众鸟高飞尽，孤云独去闲。

　　　　相看两不厌,唯有敬亭山。

前两句极写环境的清冷与诗人的孤独寂寞,后两句则写诗人
与敬亭山依依相视,脉脉含情。此处的敬亭山,已经完全人
格化,与诗人情意相通,在抚慰着诗人落寞孤高的心灵了。
而在词人辛弃疾的笔下,山更具有了高洁的品格、豪宕的气
概。试看他的《沁园春·灵山齐庵赋,时筑偃湖未成》云:

　　　　叠嶂西驰,万马回旋,众山欲东。正惊湍直下,跳珠
　　倒溅;小桥横截,缺月初弓。老合投闲,天教多事,检校
　　长身十万松。吾庐小,在龙蛇影外,风雨声中。　　　争
　　先见面重重,看爽气朝来三数峰。似谢家子弟,衣冠磊
　　落;相如庭户,车骑雍容。我觉其间,雄深雅健,如对文
　　章太史公。新堤路,问偃湖何日,烟水濛濛?

这里的灵山,被词人赋予了高贵的血肉之躯,风流倜傥,像南
迁的东晋世族谢家子弟,又如才华横溢的司马相如,雍容雅
致。它的品格气质,雄深雅健,让词人有面对"史家之绝唱,
无韵之《离骚》"的《史记》作者司马迁的歆慕向往之感。辛弃
疾的另一首《贺新郎》写道:"我见青山多妩媚,料青山、见我
应如是。情与貌,略相似。"这里的青山与词人已是契阔相交
的知己,完全打通了主客的分野,互相欣赏,彼此倾慕。
　　山的巍峨挺拔、傲岸耸峙象征着士的特立独行,抗节不
辱,士的内在精神操守借助山的外貌得以形象化,这也是千
百年来"仁者乐山"的根源所在。
　　中国文化中的水则往往与温润、包容、谦退、善良的君子
性格相联系。老子说"上善若水",孔子说"智者乐水",讲的
都是水顺应自然、与世无争的阴柔属性。它与山的阳刚气质

恰好成为互补的两端。儒家所推崇的"仁"的品格正是山水精神的融合,像山一样的坚持,像水一样的亲和。中国文人从山水之间汲取了丰富的精神滋养与无穷的创作灵感。试看苏轼一封小札《与王庆元》云:

> 寓居官亭,俯迫大江,几席之下,云涛接天,扁舟草履,放浪山水间。客至,多辞以不在,往来书疏如山,不复答也。

短短几句,就将所居环境的壮阔、寄情自然山水的闲适、逃避官场烦冗的疏懒全部点染出来,令人向往。

园林清幽：士大夫的起居

　　如果说山水是中国人高洁情怀、仁善追求的象征，那么，园林则是中国贵族、文人士大夫生活理想的更直接的载体。中国园林体现的是浓缩的自然美，是人工与自然山水的巧妙结合，它可以是绵亘百里、数十里，依山傍湖、景象阔大的皇家园林，如汉武帝的上林苑、宋徽宗的艮岳、乾隆的避暑山庄、慈禧太后的颐和园；也可以是依傍山林、清幽静穆的宫观寺院，如杭州的灵隐寺、北京的潭柘寺、成都的文殊院；更多的则是匠心独运、以小见大的私家园林，像苏州的拙政园、怡园，北京的湛园、勺园，南京的瞻园等等。与西方造园理论的平直开阔、讲究对称不同，中国园林，尤其是私家园林强调的是曲折变化，层次幽深。即使是半亩园居，也不能一览无余。追求的是"虽由人作，宛自天开"的境界，与中国绘画、戏曲的美学原理相通。园中通常由假山、池沼、草木花卉相映带，而以亭、轩、廊、榭穿插点染，使人在奇石嘉卉、曲径通幽的环境中领略诗意的生活。试想暮春三月，桃花初绽，春水微波，诗友良朋六七人，闲坐亭中，烹新茶，唱昆曲，"朝飞暮卷，云霞翠轩，雨丝风片，烟波画船"真可以"销尽鄙吝"了。

优哉游哉:休闲与体育的结合

娱乐游戏,是人的本能需求。中国人早期的游戏消遣活动如围棋、足球(蹴鞠)、投壶、打马、酒令灯谜、藏钩射覆等等,都体现着中国文化的特点,渗透着中国人的聪明智慧。

譬如围棋,它应是世界上所有棋艺中最高级的品类。它不计较一城一地的得失,也不以王或将帅的生死存殁定胜负,每一子的地位行棋亦无高下区格之判,输赢只看最终整体的结局。围棋棋道中处处体现着古代兵家的形势、权谋理论和老子弱能胜强的哲学思想。当然,也还有更适合大众的象棋。

灯谜酒令则是借助于中国语言文字与传统诗文词曲所衍生的极富趣味的游戏活动,它需要参与者具有学识广博、善于联想、敏捷机趣、巧思妙悟的品格素质。灯谜酒令做得好,可以极大程度地活跃酒宴节会的气氛。

蹴鞠、投壶、打马,在今天都可以看作是体育活动,按照拟定的规则做游戏,达到和睦亲族、娱乐朋友的效果。

古人的山水情结

　　先民对自然多存敬畏,祭祀天神地祇,以其能祸福人间,而名山大川,正是当然的崇拜对象。譬如泰山高接九天、雄临九地,就成了上访神仙、下探幽冥的所在。从对自然的崇拜敬畏中,又衍生出了审美的意味,于是古人措意于山光水色、系情于峰峦海波——山水就这样为人赋予了灵心智性。孔子东山小鲁、河洋命操,庄子身隐五岳、神游四海,都可见山之仁蕴,皆可觇水之知涵。"登山则情满于山,观海则意溢于海",譬如靖节届高舒啸、临清赋诗,人物与山水就在吟咏情性中得到了统一。爰自儒门,暨乎二氏,佛国有浩荡灵山,老庄借汪洋喻道,山水之乐尚矣。

孔子谈山水

山水与文人士大夫的个人修养最直接的关联,自孔子而始。尽管比孔子略早的老子已经在《道德经》里提出了"上善若水"的命题,但老子的说法过于玄妙,反倒是孔子,以其"接地气"的态度,启发了文人士大夫对山水的审美和体悟。

在《论语·雍也篇》中,孔子说:"智者乐水,仁者乐山;智者动,仁者静;智者乐,仁者寿。"水的灵动轻盈、生生不息,山的巍峨稳固、坚实厚重,都容易让人联想到生命的本质。正因为人的情感、品质与自然山水的某些客观属性有着相通之处,所以孔子以此为例,提出了"山水—人性"的对应关系。西汉韩婴在《韩诗外传》中对"智者乐水,仁者乐山"进行了更详细的解读。他认为:智者之所以乐于水,是因为水"缘理而行,不遗小间",人也应当像水这样,选择适宜的途径,志存高远,历经险阻而不犹疑,最终达成大业。而仁者之所以乐于山,则是因为山巍峨广大,包容万物,人也应当像山这样,以高峻的品格来使别人倾慕,同时又要有博大的胸怀,乐于奉献,宠辱不惊。

孔子当初在说这句话时,可能只是刹那的感悟,一种内心体验的不经意流露而已。但在此后漫长的时间里,儒家逐渐将个人的人格修养同山水之乐全面地关联在一起,这样一来,君子所有的美德,从大的方面来说都可以取譬于山水,也就是说,山水给予后世的文人士大夫以全方位的道德认同感。用钱穆先生《论语新解》中的话说,就是:"道德本乎人性,人性出于自然,自然之美反映于人心,表而出之,则为艺术……《论语》中似此章富于艺术性之美者尚多,鸢飞戾天,鱼跃于渊,俯仰之间,而天人合一,亦合之于德性与艺术。"钱先生在此拈出"天人合一"一词来,实直击先秦儒家精神之要义。何谓"天人合一"? 最直接的表述就是"山水—人性",其内涵扩展开来,便成了"山水—人性—道德—艺术",至此,一个完整的个人道德修养体系便得以构建。

然而,仅仅局限在山水与人性的对应上,那么儒家的个人修养,便纯粹是为个人的了,这显然不符合事实。概而言之,个人为"私";而儒家的至高理想,则着落在"公"上。关于公与私的关系,千百年间,几乎每一位士人从幼年起便要熟读《大学》中的这样一段话:

> 大学之道,在明明德,在亲民,在止于至善……古之欲明明德于天下者,先治其国;欲治其国者,先齐其家;欲齐其家者,先修其身;欲修其身者,先正其心;欲正其心者,先诚其意;欲诚其意者,先致其知;致知在格物。

根据《大学》中这段名言的说法，个人私下的所作所为，都是为了将来为治国平天下做准备，也就是说，私是为了公。自宋代而后的儒家，这种道德体制内"扬公抑私"的倾向越发严重，以至于原本单纯的对山水的游赏，必然会与个人修养发生联系，并进而被赋予更重大的意义。这一点，从北宋范仲淹的名文《岳阳楼记》中便可见一斑。范氏的"登斯楼也"，并不是为了欣赏其"春和景明"抑或"浊浪排空"的景象，而是借观景，引申出士大夫的终极关怀——"先天下之忧而忧，后天下之乐而乐"。此文的流传千古，也绝对不是因为其对山水风光的生动描写，而是范氏将个人的山水之好，同个人修养联系起来，进而赋予其"天下"的意义。

禅宗常用这样的话来描绘悟道的过程：起初，见山是山，见水是水；继而，见山不是山，见水不是水；最后，见山还是山，见水还是水。如果抛开这句话的深奥内涵，而只取其字面意思的话，那么似乎可以说："见山是山、见水是水"，可以看做是对山水的直接层次的玩赏，山水给予人的，是一种感官愉悦，一种自然的美。而"见山不是山、见水不是水"，则是文人士大夫将这种感官愉悦同自身的修养联系起来，处处寻求一种"寄托"。千百年来，凡是称得上"名篇"的山水文章，几乎没有任何一篇能够罔顾这个"寄托"的标准。这样说来，中国古代的文人士大夫似乎活得有点儿累，但这也正是儒家所认同的士的价值所在。因此，从某种意义上说，如何灵活地处理个人与山水的关系，也就成了这些被赋予了治国平天下重任的士人们所经常考虑的问题——如何在将山水与道德对应的同时，又不与那种直接层次的感官愉悦相悖呢？或者说，在山水这个问题上，怎样兼顾"公"与"私"的意义呢？

或许我们将问题复杂化了。事实上，最初提出这一问题的孔子，在《论语·先进篇》中，已经用亲身的言行做出了启示。这个故事叫做"子路、曾皙、冉有、公西华侍坐",可以说是整部《论语》中最活泼、最令人神往的一段描写。在故事里,孔子让子路、曾皙、冉有、公西华四个弟子各自说说自己的志向。性格豪爽的子路第一个发言,说他希望管理一个千乘大国,打败外国军队,治理国内灾荒,三年之内达到天下大治。冉有和公西华二人的志向,相比子路要小了一些,冉有想治理一个小国,而公西华则只想做一个负责礼仪的官员。对于这三个人的回答,孔子并没有表示认可。他又问曾皙,曾皙停下手中正在弹着的瑟,回答说:"我的志向和另外三人不太一样。我只希望在暮春时节天气暖和的时候,换上春天的衣服,五六个成年人,六七个童子,在沂河里游游泳,到舞雩台上吹吹风,唱着歌回家。"曾皙并没有大谈事功,他向往的是一种悠游于山水之间的闲适,但孔子反而对这种山水之情大加赞赏。原文中用了这样的语句——"夫子喟然叹曰:'吾与点也!'"这不是一般的赞成,而是发自肺腑的知音之感。"喟然叹"这三个字,生动地说明孔子在听取前三人大谈自己的政治志向而愈来愈不以为然之时,忽然从曾皙这里听到这番话,油然而生的喜悦之情。

既然这样,问题就来了——孔子一生,不是注重事功的吗?他不是宣扬"克己复礼",并孜孜不倦地周游列国去努力实现自己的政治理想吗?那么,为什么他要对子路的雄伟志向付之一哂呢?对此,有人认为应当从"内圣"与"外王"的不同来理解:个人对社会的贡献亦即"事功",属于"外王",这固然是儒家的最高追求;但"外王"并不是凭空的,如之前所引《大学》所说,"外王"要以"内圣"即个人的自我修养为基础,没有"内圣",何谈"外王"?孔子对子路最大的不满也就在此。子路应当是孔门弟子中最具政治才能的一位,但他在"内圣"上做得并不好。"为国以礼,其言不让,是故哂之",知徒莫如师,孔子一语点出子路的缺陷,而这恰恰是"为国"最重要的条件之一。历史上的子路,最终也没能实现自己在这则故事中的宏伟志向。而孔子欣赏曾皙的原因,正是因为他所希望的,乃是由内锻炼自身的道德品格。曾皙的志向,不是在暮春时与好友和家童一起,洗洗澡,吹吹风,然后唱着歌回家吗?这与个人道德有什么关系呢?——不要忘了,孔子的山水观是"智者乐水,仁者乐山",曾皙的志向正体现了对水的"乐"。暮春时的渐暖流淌的河水,给人以喜悦和美感,而在水中的嬉戏,则是对真实生活的热爱和尊重。与道家的贵"无"不同,孔子所赞成的,是更为人性化的、充满现实关怀的生活,曾皙的话,契合了孔子内心对"智者"的定义,他自己也正是向这个目标而努力的,所以他才说:"吾与点也!"由此可见,孔子完全是一个活生生的、很可爱的老头,后世将其尊为"大成至圣先师",神化成了圣人,仿佛孔子就是一个一本正经、不苟言笑的教化者。其实这篇"侍坐"故事中的,才是真实的孔子。

但仅仅以"外王"必先"内圣",并不能完全解释孔子的喟然之叹。通读《论语》,多数时候我们看到的是一个为"外王"而处处碰壁的孔子,李零先生将孔子称为"丧家狗",其实是很贴切的。在十几年风雨漂泊、无功而返之后,孔子甚至发出了"道不行,乘桴浮于海"的悲叹。当然,"浮于海"只是一种气话,他是不会这样做的。但孔子毕竟是一个有血有肉的人,是一个凡人,而不是后世加在他身上的"圣人"。外在的坎坷,需要内心的安慰,而内心的安慰,又需要借助于某些途径——山水之乐便是一个排解的好方法。儒家虽然强调入世,但毕竟有进便要有退,退在何处呢?只能是山水之间。孔子所追求的,是一种超越外物纷扰的内心的快乐,是"智"与"仁";但绝对的超越外物纷扰,又是不可企及的——那不成了庄子所说的"至人无己，神人无功，圣人无名"了吗？"夫子喟然叹曰：'吾与点也！'"反映出孔子也亟需借助山水以获得内心宁静的现状。山的幽静有助于内心的平和，同时山的巍然又使人感受到刚强；水的清澈给人以精神的净化，同时水的不息又催人奋进。因此，进与退皆能从山水之中寻得契合，成为一种生活中的美学。具体到现实语境中，我们相信孔子哂笑子路而赞同曾皙，出于"退"的慰藉更多一些。有了孔子的典范，我们便可以理解，进与退同时统一在山水之情中是并不矛盾的。

传统的文人士大夫，因其自幼所接受的儒家思想教育，几乎没有起初便想寄情山水，去隐逸、去闲适的。陶渊明做了隐士，但他隐居是因为看破了官场的黑暗，欲事功而不可得，才退而求其次，保持自身之高洁。唐代的文士们隐居终南山中，是以退为进，欲通过"终南捷径"而平步青云。正因为有了山水之情，千百年来，文人士大夫才在能在进退之间取舍自如——将山水之情称为一种"生活美学"，其要义即在于此。作为山水在都市中的变形，园林便是一种"进退自如"的理想场所。中国的园林文化，从本质上固然是出于对山水的审美，但若对这些园林的主人相关的政治因素加以考量，那么这种形式上的"私人领域"，在"进与退"、"公与私"之间的真实角色，尚需具体分析，不是一个"隐逸"或者"闲适"便能概括得了的。对于园林文化，本书之后的章节中有专门的介绍，这里就不再赘言了。

原典选读

子路、曾皙、冉有、公西华侍坐①

子路、曾皙、冉有、公西华侍坐②。

子曰："以吾一日长乎尔,毋吾以也。③ 居④则曰:'不吾知也!'如或知尔,则何以哉?"

子路率尔⑤而对曰："千乘之国,摄乎大国之间⑥,加之以师旅,因之以饥馑;由也为之,比及三年,可使有勇,且知方也⑦。"

夫子哂之。

"求! 尔何如?"

对曰："方六七十,如五六十⑧,求也为之,比及三年,可使足民。如其礼乐,以俟君子。"

"赤! 尔何如?"

对曰："非曰能之,愿学焉。宗庙之事,如会同,端章甫,愿为小相焉。⑨"

"点! 尔何如?"

---

① 题目为后人所加。

② 子路、曾皙、冉有、公西华:都是孔子的学生。侍坐:陪着(孔子)闲坐。

③ 这句话的意思是:因为我比你们年纪都大,(老了),没有人用我了。

④ 居:平日,平常的意思。

⑤ 率尔:不假思索地。

⑥ 这句话的意思是:有一千辆兵车(这种规模)的国家,局促地处于几个大国的中间。

⑦ 且知方也:而且懂得大道理。

⑧ 这句话的意思是:国土纵横各六七十里或者五六十里的国家。

⑨ 这句话的意思是:祭祀的工作或者同外国盟会,我愿意穿着礼服,戴着礼帽,做一个小司仪。

鼓瑟希，铿尔①，舍瑟而作，对曰："异乎三子者之撰。"

子曰："何伤乎？亦各言其志也。"

曰："莫春者②，春服既成，冠者五六人，童子六七人，浴乎沂，风乎舞雩③，咏而归。"

夫子喟然叹曰："吾与点也！"

三子者出，曾皙后。曾皙曰："夫三子者之言何如？"

子曰："亦各言其志也已矣。"

曰："夫子何哂由也？"

曰："为国以礼，其言不让④，是故哂之。"

"唯求则非邦也与⑤？"

"安见方六七十，如五六十而非邦也者？"

"唯赤则非邦也与？"

"宗庙会同，非诸侯而何？赤也为之小，孰能为之大⑥？"

——《论语·先进篇》

---

① 希：接近尾声。铿尔：铿的一声。
② 莫：通"暮"。
③ 舞雩：舞雩台，古时求雨用的祭台。
④ 这句话的意思是：治理国家应该讲求礼让，可是他的话却一点儿也不谦虚。
⑤ 这句话的意思是：难道冉求所讲的就不是国家吗？
⑥ 这句话的意识是：如果赤只愿意做一个小司仪，那又有谁来做大司仪呢？

《兰亭集序》——山水与哲理

中国历史绵延数千年,每一段时期都有其独特的风采,拿出任何一个,都可以贴上代表性的文化标签。但有一个时期,却让人既难以形容,却又心生神往,那就是魏晋。

宗白华先生在《论〈世说新语〉和晋人的美》一文中这样形容道:"汉末魏晋六朝是中国政治上最混乱、社会上最苦痛的时代,然而却是精神史上极自由、极解放,最富于智慧、最浓于热情的一个时代,因此也就是最富有艺术精神的一个时代。"这段话乍看上去似乎难以理解:何以政治的最混乱和社会的最苦痛,反而会诞生精神上的极解放和极自由?鲁迅先生在论述文学史发展时,将魏晋定义为"文学自觉"的时代,宗白华先生也在同篇文章中说"晋人向外发现了自然,向内发现了自己的深情",这里的"发现"和"自觉",或许可以为我们解答这一问题提供些许启示。既然本章要讨论的主题是"山水",那么我们便不妨便以东晋王羲之的名篇《兰亭集序》为例,看看此时的文人在面对山水时,是怎样将其与一个永恒的主题——"生命与死亡"联系在一起的;他们在对这一主题进行思考时,又是怎样体现出"发现"和"自觉"的。

古人对于山水,有一个从"公共"到"个人"的审美转换。孔子将山水与个人的道德修养对应了起来,并进一步构成了先秦儒家的要义——"天人合一"。但是西汉建立后,出于思想统治的考虑,汉武帝采用董仲舒的建议"罢黜百家,独尊儒术",并且将儒家学说进行了演绎,把"天人合一"的内涵转换成"天人感应"。实际上,将一种学说冠以"术"的称号,本身即表明它已经被工具化和权术化了。尽管整个两汉，道家的黄老之学也曾时不时地得到提倡，但总体而言，思想上还是以儒家为主的。在"天人感应"的统罩下，个人对于山水的关照，从表面上看还是"山水—道德"的对应，但这种对应和孔子所提倡的"智者乐水，仁者乐山"已经大不同了，因为在思想统治的大背景下，它已经被纳入到了政权运作体系中，先秦儒家所着意凸显的独立的"个人"色彩——或者说是纯粹的士的因素被有意淡化。我们看两汉时期的思想史，极少有脱离了这种背景的独立的个人山水审美，原因即在于此。

从东汉末年开始，文人的山水审美开始出现了与"天人感应"不和谐的因素。因为乱世的来临，让人感受到人生之无常，因此也空前关注起生命与死亡这一永恒的主题。其实孔子在面对滔滔而去的河水时，就已经在感叹："逝者如斯夫！不舍昼夜。"但孔子的感叹，是一种较为难以言说的心灵感慨，我们很难用悲或喜来诠释；而汉末文人面对山水时所涌起的忧患意识，脑海中所思考的生命与死亡，却残酷得更加直接、更加现实。曹操一世之雄，尚不免于慨叹"对酒当歌，人生几何，譬如朝露，去日苦多"；他的儿子曹丕在《与吴质书》中更直接地表达了良辰易逝、人生无常的伤感——昔日与徐幹、阮瑀、应玚、刘桢等知交好友在一起，"行则连舆，止则接席"，"酒酣耳热，仰而赋诗"，身处欢乐之中却不自知，孰料数年之间，"零落略尽"，诸位好友已"化为粪壤"，唯剩自己面对他们的遗文，当此之时，怎能不"言之伤心"！

至于《古诗十九首》中下层文人对生命与死亡的思考，更是无数次被后人所吟咏："人生天地间，忽如远行客"、"人生寄一世，奄乎若飙尘"、"人生非金石，岂能长寿考"、"人生忽如寄，寿无金石固"、"生年不满百，常怀千岁忧"……汉末文人的忧患意识，形成了一种群体性的心态。尽管西晋的建立短暂地结束了战乱,但紧接而来的政治的黑暗、时局的诡谲,却让文人的处境更加不安,因此这种群体性的忧患,不仅没有得到丝毫缓解,反倒更加强烈了。在历史上,我们常将"汉末魏晋"作为一个时段,这固然有多重原因;但如果单纯从士人心态上来看,这种一以贯之的忧患意识,恐怕也是重要的因素吧!

公元 317 年,西晋皇室后裔司马睿在建康称帝,是为东晋。东晋虽无力北伐,却足以自保,尤其是在谢安的指挥下赢得了淝水之战,南北分立之势由此而成。而这一时期士人的精神世界,经历了西晋玄学初兴的冲击,也逐渐走向平和,不像前辈们那么偏激。士人们仍然谈玄,但经过了战乱和南渡后,他们有余裕来反思理想、道德与人生。事已至此,儒家所提倡的"修、齐、治、平"的人生理想早已成为泡影,而西晋士人对玄学的接受、对人生价值和意义的再思考和生命主体意识的逐渐觉醒,都为东晋士人诠释生命与死亡这一永恒主题,并将其与山水之情进一步关联起来做好了铺垫。也就是说,有了"自觉",所以能够"发现"。而这一"发现"的集中表现,就是历史上这次著名的兰亭雅集,以及王羲之为这次集会而写的名篇《兰亭集序》。

兰亭,位于会稽(今浙江绍兴)兰渚山麓的兰溪江畔。平心而论,单纯从山水的审美上说,江南无疑要比北方更胜一筹,尤其是山与水的交融上,南方有着北方无法比拟的天然优势。随着晋室南迁,大批北方士族来到南方,眼前奇异秀丽的山水景色,在他们眼前呈现出一个从未有过的绚丽世界。而会稽的山水,在江南地区最为出色。《世说新语》记载,大画家顾恺之从会稽归来,人们问他景色如何,他以这样的语句来回答:"千岩竞秀,万壑争流,草木蒙笼其上,若云兴霞蔚。"会稽以江南形胜之地,自然也就成了士人们最为钟爱的地方。

兰亭

晋穆帝永和九年(353)年三月初三,是传统的上巳节,按照习俗,人们要到水边修禊,以祛除不祥。这天,时任会稽内史的王羲之,作为东道主与其好友孙绰、孙统、谢安、支遁等共四十二位名士来到兰亭,为修禊举行聚会,史称"兰亭雅集"。在聚会中,大家采取"流觞曲水"的方式饮酒赋诗,即引水沿着弯曲的渠道流淌,与会者分处于水边的各个位置,将酒杯置于上游,任其漂流而下,到了谁的面前,谁就取杯而饮,并且一边饮酒一边赋诗。这次集会中名士们所赋的诗,抄录成集,王羲之为之作序,这就是《兰亭集序》。可惜的是,这些诗,只流传下来了四十一首,分别出自二十六人之手,其他的已经亡佚了。好在王羲之的这篇序流传了下来,它不但是书法中的神品,被称为"天下第一行书",还是山水文学中不可多得的美文,同时也蕴含着丰富的哲理情思,表现了东晋文人对生命与死亡的思考。

在此文中,王羲之首先叙述了这次聚会的由起、聚会的环境之美和宾主的相得之乐。初唐诗人王勃在其名篇《滕王阁序》中,称其躬逢之会为"四美具,二难并","四美"指的是"良辰、美景、赏心、乐事",而"二难"则是"贤主、嘉宾"。"四美具、二难并"可遇而不可求,若适逢其事,诚为人生难得之体验。如果说王勃在文章中用此语,多少还带有一点儿夸饰的话,那么王羲之所主持的这次兰亭集会,则可谓名副其实。"仰观宇宙之大,俯察品类之盛,所以游目骋怀,足以极视听之娱",一个"极"字,充分表达了与会诗人们的惬意。

然而,欢乐的情绪转瞬即逝,王羲之笔锋一转,开始转向对宇宙、自然、生命与死亡的探求。"人之相与,俯仰一世",不管是以何种形式存在的,也不管其志向如何、性情怎样,在欢乐的时候总是快然自足,不会想到生命的有限、死亡的必然;但当其"所之既倦,情随事迁"的时候,却不得不认识到"修短随化,终期于尽"。这是自然的法则,人力所无法抗拒的。写到这里,羲之想到了古人所说的"死生亦大矣",引起了他强烈的共鸣。魏晋玄学之风甚炽,而玄学又与道家思想有着千丝万缕的关系。参与兰亭集会的名士们,多受道家思想浸淫,王羲之亦不例外。但在面对"死生亦大矣"这个问题时,他却对庄子提出的"一死生、齐彭殇"这个命题产生了怀疑。《庄子·齐物论》称:"天下莫大于秋毫之末,而大山为小;莫寿于殇子,而彭祖为夭。天地与我并生,而万物与我为一。既已为一矣,且得有言乎?"在名士间的玄学论辩中,"齐物论"是常被探讨的主题;而庄子所说的个人与天地万物"并生为一"的境界,也是名士们所希望企及的。但在这欢愉的盛会中,在这悲从中来的刹那,王羲之却深切地体会到,"齐物"只存在于理想中的境界,一个活生生的人,在生命与死亡这一主题真正降临到自己面前时,谁也不能真正地超脱开来,不带任何情感地去"一死生、齐彭殇"。但凡为人,总要有

27

"情",古今都是一样。王羲之在序中反复提到这一点,他说:"每览昔人兴感之由,若合一契,未尝不临文嗟悼,不能喻之于怀。"又说:"虽世殊事异,所以兴怀,其致一也。"岂不都是在强调一个"情"字?《世说新语·伤逝》记载:王戎的小儿子死了,他非常悲伤。好友山简问道:"孩抱中物,何至于此?"王戎回答说:"圣人忘情,最下不及情;情之所钟,正在我辈。"好一个"情之所钟,正在我辈"!"一死生、齐彭殇"的忘情,那是圣人才有的境界;而作为我辈,何时不活在一个"情"字里呢?

兰亭序(唐人摹本)

王羲之此序,由"信可乐也"起,由"岂不痛哉"、"悲夫"结,痛的是什么,悲的是什么?如果我们简单理解为个人的欢愉难永、繁华易凋,那么东晋士人对生命与死亡这一主题的感悟,就同前人在《古诗十九首》中所表达的没有区别了。为什么晋人"向外发现了自然,向内发现了自己的深情"?因为他们在思考时,开始将人生本身作为关注的焦点。这里的"人生",不是"人生在世,吃喝二字"的人生,而是将个体置于自然和宇宙中去关照的、与永恒相对应的存在。晋人主体生命意识的觉醒(即鲁迅先生所说的"自觉"),是与他们的时间意识和空间意识的觉醒同步的。而这三者在现实中最为切近也最为集中的映射,便是对山水的感悟。对王羲之和参与这场盛会的士人们来说,首先,山水是他们寄放身心、倾注感情的现实环境,在置身于山水美景时,生命与自然融为一体,从崇山峻岭和清流激湍中,仿佛能感受到一种生命的律动。其次,山是巨大的、永恒的;水是流动的、无尽的,面对山水,士人们直接感受到人生的渺小和短暂。这种复杂的感受,概而言之,就是存在感和虚无感的矛盾统一。

汉末文人的悲,是对富贵难以永恒、繁华容易凋零的感伤和忧惧,因此才有了"昼短苦夜长,何不秉烛游"的及时行乐的感叹。然而《兰亭集序》的悲,则是在仰望宇宙之寥阔、俯视人生之无常时所感受到的迁逝之悲,带有深刻的哲思。王羲之为人生无常、宇宙有恒而发出的感慨,已经不是单纯的一己生死之悲,而是将视野跨越了千年时空,对人生与宇宙、存在与虚无这一亘古矛盾的苦闷与悲慨。这种上升到人生与宇宙哲理层面的思考,只有在"静下来"的东晋士人这里才能够实现。虽然没有任何一个士人能真正从俗世的沉浮奔竞中解脱出来,但面对山水的悠然自适,山水反照回来的清虚宁静,还是让他们能够更深刻地领悟到更高层次的玄理——同时也是向内的、更切近内心的自觉。

如何面对生命与死亡?王羲之所给出的"修短随化,终期于尽"就是终极的答案吗?如果是的话,那么东晋士人也将永远陷入到存在与虚无这一亘古的矛盾中不可自拔,向内的自觉又有何意义呢?放浪形骸、及时行乐,那是权宜的、消极的把戏。且让我们看王羲之本人收录在这个集子中的一首诗吧!

> 仰观碧天际,俯瞰渌水滨。
> 寥阔无涯观,寓目理自陈。
> 大矣造化功,万殊莫不均。

群籁虽参差，适我无非新。(《兰亭诗》之二)

人生不是短暂无常的吗？山水不是永恒不变的吗？如果执著于以人生之虚无与山水之存在相比较，那这种苦闷将永远无法排解。可是，如果反过来看呢？人生固然短暂无常，但在这短暂无常中，得之于山水的，有没有可以称之为永恒的东西？"寥朗无涯观，寓目理自陈"，不必纠结于"无涯"的不可穷尽，我只要我自己看得到的，我看到了多少，感悟到了多少，这就是我自己的存在与永恒。在这里，渺小的"人"是主体的、支配的，所谓的"主体精神"的自觉，正在于此。进而，王羲之又阐释道："群籁虽参差，适我无非新。"好一个"适我无非新"！我站在这里，身处崇山峻岭、清流激湍之间，身处浩茫的宇宙之间，"群籁"还不是要来"适我"吗？我所接触到的、感悟到的，都是"新"的。今日有今日之"新"，明日又有明日之"新"；古人有古人之"新"，今人又有今人之"新"。既然如此，那么短暂也就是永恒，虚无也就是存在，再去悲叹人生无常而宇宙有恒就没有意义了。这是大悲哀之后的大解脱，大纠结之后的大宁静。尽管它的色彩仍带着淡淡的无奈，但这不是人生的悲哀。数百年后，诗人张若虚写下了一首《春江花月夜》，又一次将这种晕染着淡淡无奈的解脱与宁静展示在我们面前。西哲荷尔德林说："人类诗意地栖居在大地上。"如果说中国古代的士人尚有几分诗意的话，那么这种解脱与宁静就是其诗意的底色吧！

原典选读

兰亭集序①

永和②九年，岁在癸丑，暮春之初，会于会稽山阴之兰亭，修禊事也③。群贤毕至，少长咸集。此地有崇山峻岭，茂林修竹；又有清流激湍，映带左右，引以为流觞曲水④，列坐其次。虽无丝竹管弦之盛，一觞一咏⑤，亦足以畅叙幽情。是日也，天朗气清，惠风和畅，仰观宇宙之大，俯察品类之盛，所以游目骋怀，足以极视听之娱，信可乐也。

夫人之相与，俯仰一世，或取诸怀抱，悟言一室之内；或因寄所托，放浪形骸之外⑥。虽趣舍万殊，静躁不同，当其欣于所遇，暂得于己，快然自足，曾不知老之将至。及其所之既倦，情随事迁，感慨系之矣。向之所欣，俯仰之间，已为陈迹，犹不能不以之兴怀。况修短随化⑦，终期于尽。古人云："死生亦大矣。"岂不痛哉！

每览昔人兴感之由，若合一契，未尝不临文嗟悼，不能

---

① 严可均《全上古三代秦汉三国六朝文》据《艺文类聚》、《晋书·王羲之传》作《三月三日兰亭诗序》，但习惯上仍称《兰亭序》。

② 永和：晋穆帝司马聃的年号，自公元345年—356年，共12年。

③ 修禊事也：古代习俗，于阴历三月上旬的巳日（魏以后定为三月三日），人们聚集于水滨嬉戏洗濯，以被除不祥和求福。

④ 流觞曲水：古人的一种饮酒取乐方式，将酒杯放在弯曲的水道中任其漂流，杯停在谁面前，谁就取杯饮酒，有时还要作诗。

⑤ 一觞一咏：喝点酒，作点诗。

⑥ 这句话的意思是：人们彼此相处，俯仰之间就是一生，有的人喜欢讲自己的志趣抱负，在室内跟朋友面对面地交谈；有的人通过寄情于自己精神情怀所寄托的事物，在形体之外，不受任何约束地放纵地生活。

⑦ 修短随化：寿命长短听凭造化。化：自然，造化。

喻①之于怀。固知一死生为虚诞,齐彭殇为妄作②。后之视今,亦犹今之视昔。悲夫!故列叙时人,录其所述,虽世殊事异,所以兴怀,其致一也。后之览者,亦将有感于斯文。

——《全上古三代秦汉三国六朝文》

---

① 喻:明白。
② 这句话的意思是:本就知道把生和死同等看待是荒诞的,把长寿和短命同等看待是虚妄的。

柳宗元对山水的典范书写

　　山水之于文学，有多种表现形式。肇始于魏晋时期的山水诗是其中一种，但诗的体式是高度浓缩的，语言是高度凝练的，在这样的限制中来表现山水，势必只能选取其最契合诗人精神的一点，正因如此，诗歌中的山水，多属于"一瞥"或"刹那"式的"神会"。真正能够定义为"书写"的山水文学，还应属山水游记。

　　有人认为，山水游记的源头，可以上溯到《禹贡》和《山海经》，但严格来说，这些文字，只能算对山水的客观描述，文字既短小，也缺乏"游"的情怀。比如《禹贡》中的"嶓冢导漾，东流为汉，又东，为沧浪之水。过三澨，至于大别，南入于江"；《山海经》中的"北山经之首，曰单狐之山，多机木，其上多华草。漨水出焉，而西流注于泑水，其中多芘石文石"；等等。真正可称为"游记"的，应当是东汉马第伯的《封禅仪记》。其中有一大段文字，专门以"游"的视角描写山岚景色，其描绘之真切动人，行文之摇曳生姿，迥出当代，置诸明清游记中，恐亦难以分别，宜乎其为山水游记之祖也。

　　自东汉而下，山水游记渐成一体，文人染指遂多。其中名篇，有东晋诸道人的《游石门诗序》、陶渊明的《游斜川诗序》等。还有一类，作者并非特意写作山水游记，其意也不在"游"，但在文章中却也描摹山水，文采斐然，与游记有异曲同工之妙，因此也可等而视之，如南朝鲍照的《登大雷岸与妹书》、北朝郦道元的《水经注》诸篇等。山水游记至此，可以说发展得已经较为成熟了。就写作技巧来看，如郦道元《水经注》，已经自觉地将总括式的笼统介绍和特写式的分类摹写结合起来。就写作思想来看，很多游记不止于对山水做客观的描绘，更能借山水表达自己的感情，如置身美景的怡然自得、俯仰天地的玄想哲思；更有鲍照《登大雷岸与妹书》，借山水之景抒发一己之家国情怀，景中有情，情中见人，疾痛惨怛，令人动容。可以说，自东汉而至南北朝的数百年间，山水游记已经形成了较为成熟的写作技巧与表达方式。如果将视野定格在此时，或许我们可以认为，此后的山水游记，只不过是沿着这已成型的技巧与方式继续走下去罢了。但是唐代柳宗元的出现，却从根本上变革了山水游记的写法，从而形成了一种新的典范。

唐顺宗永贞元年（805）九月，柳宗元因被政敌所陷，由礼部员外郎外放为远州刺史，赴任途中，又加贬为远州司马，未几，再贬永州司马。永州是时属江南西道，辖有祁阳、零陵、湘源、灌阳四县，而治所在零陵。柳宗元被贬的官职，具体来说，是"永州司马员外置同正员"，"司马"本为刺史属下掌管军事的副职，但当时已经成为有职无权的冗员。"员外置"意为在定员以外设置的官，而"同正员"意为其待遇同正员一样。总之，柳宗元是一个无具体职务的"编外"官员。非但如此，朝廷甚至没有给他安排官舍，宗元到达永州后，只好寄居在城内的龙兴寺，寺内"凫鹳戏于中庭，兼葭生于堂筵"，一派荒凉景色。加之气候潮湿、语言不通，又有"罪谤交织，群疑当道"，他的日子并不好过。在元和四年（809）的一封家书中，他向亲人倾诉自己身体上众疾交加，心理上抑郁苦闷，以至于"每闻人言，则蹶气震怖，抚心按胆，不能制止"。

然而，在这险恶的环境中，柳宗元并没有一味消沉，他也在积极寻求精神的寄托。柳宗元自幼即信仰佛教，既寄居寺庙，便常与僧人谈禅论道，从青灯梵呗寻找些许安慰。值得庆幸的是,一批与他遭遇相似的士人先后来到永州。这些人中,有些本就是他的旧交,比如吴武陵、元克等。他们的到来,给了柳宗元精神上极大的安慰。在《答吴武陵论〈非国语〉书》中,宗元说道:"拘囚以来,无所发明,蒙覆幽独,会足下至,然后有助我之道。"自此,柳宗元常与友人们游览饮酒,谈文论艺,尽管抑郁的心情仍然无法释怀,但毕竟有了倾诉的对象,也有了同道的理解,这让他在逆境中,仍能发愤作书,迎来了创作上的一个高潮。

元和五年(810),柳宗元从城内移居潇水西岸的愚溪。这是他文学生涯中一件有标志意义的事情。所谓"标志意义",是因为此举开启了柳宗元山水游记创作的新篇章,同时也开启了中国山水文学的新时代。值得注意的是,溪水本名冉溪,"愚溪"是柳宗元改的名字。为什么要将其改为愚溪呢?"愚"又有何深意?在《愚溪诗序》中,柳宗元说道:历史上的宁武子,是"邦无道则愚",颜子则是"终日不违如愚",这都不是真愚。而自己在"有道"的时代,却"违于理,悖于事",以至于被发配到这种偏远的地方来,这才是真愚。这条溪水在别人看来虽然没有什么价值,但它的"漱涤万物,牢笼百态,而无所避之",却正合乎自己的性格,所以"能使愚者喜笑眷慕,乐而不能去也"。柳宗元以"愚者"自况,而溪水和自己相类,故名其为"愚溪"。

整篇序,都着落在一个"愚"字上。"有道"云云,恰为反语;而"违于理,悖于事",正说明了柳宗元不为小人所屈、高标自置的独立人格。这里的愚溪,亦为世所弃,正象征着他被贬的悲剧命运,这使得二者之间形成了一种同感共应的关系,也使得他对愚溪抱有一种特殊的感情。然而,柳宗元并没有仅仅停留在"借愚溪以泄孤愤"的层面,而是更加积极地将心灵投入到自然之中,借对山水之美的发现,来表现自身

的价值,并以此来否定社会的现存秩序和道德标准。清人林云铭《古文析议初编》评论此文说:

> 本是一篇诗序,正因胸中许多郁抑,忽寻出一个愚字,自嘲不已,无故将所居山水尽数拖入浑水中,一齐嘲杀。……反复推驳,令其无处再寻出路,然后以溪不失其为溪者,代溪解嘲,又以己不失其为己者,自为解嘲……

所谓"溪不失其为溪者"与"己不失其为己者",也就是溪与人的固有价值,二者在这一点上得到契合。而"漱涤万物,牢笼百态",既是宗元对自己文章风格的自谓,同时也反映出其以"我"观山水的视野与情怀。与上一节所提到的王羲之《兰亭集序》中的"我"不同,这里的"我"强调的不是人的主体性、独立性,而是一种与山水同感共应的亲切感,二者相爱相怜,如在目前。这种情怀,既不同于"仰观宇宙之大,俯察品类之盛"的时空寥廓感,也没有"重岩叠嶂,隐天蔽日"或"孤鹤寒啸,游鸿远吟"的距离感。

柳宗元对山水的典范书写,最集中的体现就是其在永州期间写的一系列游记——"永州八记"。这八记分别是《始得西山宴游记》、《钴鉧潭记》、《钴鉧潭西小丘记》、《至小丘西小石潭记》、《袁家渴记》、《石渠记》、《石涧记》和《小石城山记》。它们写于元和四年到元和九年的五六年间,可以说是柳宗元文学创作的集中体现。之所以称其为"典范书写",是因为在这八篇游记里,他完美地展现了自然美与人格美的相融共生,以及内蕴美与形式美的和谐统一。

先来看自然美与人格美的相融共生。永州的山水其实并不出色,几无名胜可言,更遑论与"千岩竞秀,万壑争流"的会稽相比了。"永州八记"里所描写的,也都是十分平常的地方——甚至平常到本地人都不注意。比如《钴鉧潭西小丘记》:"问其主,曰:'唐氏之弃地,货而不售。'问其价,曰:'止四百。'予怜而售之。"再如《袁家渴记》:"永之人未尝游焉,余得之,不敢专也,出而传于世。"然而就是这些不为世人所在意的地方,在柳宗元笔下,却展现出别具洞天之美。

在"八记"中,那些偏居荒野、无人问津的地方,在柳宗元的笔下却摇曳生姿,令人读来如在目前,心生向往。那么,为何对世人视而不见的景色,柳宗元能独具慧眼呢?根本的原因,还是他在《愚溪诗序》中所说的"漱涤万物,牢笼百态"。具体说来,就是他的心灵审美与山水景致在精神上产生了契合,故而能对自然景物洞察入微,捕捉住别人所难以发现的美妙动人之处。清人刘熙载在《艺概·文概》中说:"柳州记山水,状人物,论文章,无不形容尽致;其自命为'牢笼百态',固宜。"柳宗元之前,描写山水的文字已有很多,但比较一下便可发现,前人所记的山水,多为名山大川或幽景胜迹,其美尽人皆知,通俗点儿说,就是"有的写"。而柳宗元笔下的山水,既然没有出众的"硬件",便更需要他洞幽烛微,充分发掘出永州山水的特点来。我们看"八记"里描写的,虽都是眼前小景,但却各具特色,有美的个性。同样写水,钴鉧潭之水是"流沫成轮",石涧之水是"流若织文",而石渠之水则是"流抵大石,伏出其下";同样写石,小石潭之石是"为坻为屿,为嵁为岩",石涧之石是"若床若堂,若陈筵席,若限阃奥",而小丘之石则是"若牛马之饮于溪"、"若熊罴之登于山"。真可谓妙笔生花,气象万千。

柳宗元笔下所表现出的自然美,是与其人格美分不开的。他贬谪永州,历经磨难却不改本色,一腔牢落,尽数倾之于山水。他在观赏山水的同时,将自己与山水融为一体,以山水自喻,借以寻求人生真谛。因此,他刻画永州的山水,不是纯粹客观地描摹自然,而是赋予了其血肉灵魂,将山水性格化了。文人之观山水,自然会有感情寄托于此,但从未有人像柳宗元这样,能够将山水的自然美与自身的人格美如此和谐、如此紧密地融为一体,谱出一曲曲动人心弦的灵魂与山水的交响乐。读这"八记",会时时感受到有一个"我"在里面。一方是地处荒郊、无人赏识的石潭溪水,一方是远谪永州、抑郁难申的作者,因为这相通的际遇而彼此引为了知己。柳宗元笔下的山水,多写怪石清流、奇树幽草,这同其本人高洁深邃、卓然独立的人格有着内在的联系。在《始得西山宴游记》中,柳宗元写道:"悠悠乎与颢气俱,而莫得其涯;洋洋乎与造物者游,而不知其所穷。""悠悠乎与颢气俱",也就是养吾浩然之气;"洋洋乎与造物者游",也就是与自然同化。永州山水因为有了柳宗元而得遇知音,并名传千古;而柳宗元又何尝不是有了永州山水而得到了自我的解脱呢?

再看内蕴美与形式美的和谐统一。传统的文学观念中,文章贵乎含蓄,如梅尧臣所说:"状难写之景如在目前,含不尽之意见于言外。"身为"唐宋八大家"之一,柳宗元对文贵含蓄也有着自己的体会。在《答韦中立论师道书》中,他明确指出,写文章要"含蓄而不晦涩,明朗而不真露"。这十二字的主张,在"永州八记"中体现地尤为突出。宗元虽然以一腔牢落来游览山水,但并没有大肆评讥;他笔下的山水,其秉性是峻洁的,同时又是含而不露的。柳宗元之感情,在"八记"中最为激烈的一次抒发是《钻鉧潭西小丘记》中,他写道:

> 即更取器用,铲刈秽草,伐去恶木,烈火而焚之。嘉木立,美竹露,奇石显。由其中以望,则山之高,云之浮,溪之流,鸟兽之遨游,举熙熙然回巧献技,以效兹丘

之下。

这段文字大有深意,所谓"铲刈秽草,伐去恶木"无疑是象征着对恶势力的讨伐;而"嘉木立,美竹露,奇石显"则象征着自己高洁人格的卓然独立。但即便是如此强烈的感情,柳宗元吐露出来,也是用着隐喻的手法,而没有直接去宣泄;但读者却又能完全体会到,可谓力透纸背。与此相关,"永州八记"中一个典型的意象,便是"石"。石虽然是景物中的重要组成部分,但他如此热衷于写石,尤其是写怪石,最主要的原因还是以石来隐喻自己的人格。清代沈德潜评论道:"愚溪诸咏,处连蹇困厄之境,发清夷淡泊之音。不怨而怨,怨而不怒,行间言外,时或遏之。""不怨而怨,怨而不怒",这是对柳宗元山水游记内蕴美的最好概括。

在具有内蕴美的同时,"永州八记"又富有外在的形式美。所谓形式,一是语言,二是结构。先看语言之美。柳宗元在创作实践中,形成了对于文章语言"其要在于丽则清越,言畅而意美"的心得,通观这八篇游记,可以说无一篇不是字凝句炼,明丽流畅,含蓄而隽永。比如《至小丘西小石潭记》,以"流沫成轮"四个字就形象地描绘出小溪"啮崖荡石"的情景;再比如《袁家渴记》中,仅以"舟行若穷,忽又无际"八个字,便将袁家渴山重水复的绝妙景观表露无遗。同篇中,还有"每风自四山而下,振动大木,掩苒众草,纷红骇绿,蓊葧香气"一句,最为后人所称赏。苏轼称其"善造语,若此句殆入妙矣";林纾也赞道:"妙在捻出一个'风'字。"

再看结构之美。"永州八记"是柳宗元在数年内连续创作的一个系列,这八篇游记整体构思一气贯通,皆精裁密致,谨严有序。从总体上来看,以首篇《始得西山宴游记》"然后知吾向之未始游,游于是乎始"发端,通过对西山及袁家渴周边山水景致的描绘,最后以《小石城山记》"吾疑造物者之有无久矣"的向天发问作结。而在这"八记"中,自第二篇起,每一篇都各以不同方式与上篇相关联,前后呼应,成为不可分割的一个整体。比如首篇写西山宴游,第二篇就以"钴鉧潭在西山西"起笔;第三篇又以"潭西二十五步"发端,写小丘;而第四篇则以"从小丘西行百二十步"开篇,如此种种,一景接一景,令人目不暇接。尤其令人折服的是,这八篇中,有时相隔一二年之久,但在柳宗元笔下,却犹如一日而就,毫无间隔之感,这可以说是其结构谨严、一气贯通的最突出体现。具体到每一篇,其结构之美也是如此。如《至小丘西小石潭记》,全文仅二百余字,却错落有致,开始未写石潭,先写水声,有"未见其形先闻其声"之妙;接下来依次写潭里奇石,潭边绿树,潭水游鱼,最后抒发内心感慨。全文由远及近,由旁及中,层层推进,极尽跌宕之能事。刘熙载《艺概·文概》评论道:"柳文如奇峰异嶂,层见叠出。"可谓的论。

以上从自然美与人格美的相融共生、内蕴美与形式美的和谐统一两个方面介绍了柳宗元山水游记的典范性。但是"典范"之所以成为"典范",最重要的一点,是要在开创基础上示之以轨则。论及柳宗元山水游记的典范性,还需要从整个山水文学上纵向来关照,如此,便能看出"永州八记"所体现的山水审美的历史转折。

唐代之前的山水审美,其视角多是"仰观"与"俯察",存在着一种距离感。《楚辞》、汉赋,自不待言;魏晋士人"向外发现了自然,向内发现了自己的深情",但他们在欣赏山水时,仍然时时受着玄理思辨趣味的影响,那份与自然的亲和,因此也总让人感觉尚隔了一层。但到了柳宗元笔下,那种隐藏在自然中的神秘感已经荡然无存,本来无生命的山水仿佛注入了更多的人间趣味。原因无他,就是人与自然之间那种贴肤的亲和感。我们看"永州八记"中,柳宗元对山水之境的那种体察入微,对山水之意的那种亲和神会,可以说,王羲之在《兰亭集序》中所强调的那个"我",至此不是消解了、变弱了,而是更强了,更加主体了,人与山水之间,变为了平等、毫无距离的知己关系。"八记"中,柳宗元其实仍然是以人观物,只是在外在的视角之外,另增加了一种内在的体察、沟通方式而已。正因为这种体察、沟通方式的改变,山水的境界在柳宗元笔下也似乎变"小"了。是的,变"小",这便是山水审美史上的一个历史转折。在《至小丘西小石潭记》中,柳宗元写道:"丘之小不能一亩,可以笼而有之。""笼而有之"四个字,在不经意间透露出的,正是这种变化的精神实质。人既然能与山水为友,那么这种关系便有了一种生活气息。在"八记"中,柳宗元有数处都写到购地、整地,山水在这里打上了明显的人的生命活动印记,换句话说,人不是要消泯在山水里,而是要以山水为"家",这个"家",既是肉体的,又是精神的。

这种山水审美的历史转折,是柳宗元山水书写之典范性的另一个体现。这种"笼而有之"、以山水为"家"的审美观,或者说,这种人变"大"而山水变"小"的审美观,集中地体现在唐代及此后的文人山水画和园林建设中。明末治园名家计成将中国园林的特点概括为"虽由人作,宛自天开",这种旨趣,我们可以从柳宗元的山水书写那里找到源头。

原典选读

始得西山宴游记

　　自余为僇人①，居是州，恒惴栗。其隙②也，则施施③而行，漫漫而游。日与其徒上高山，入深林，穷回溪，幽泉怪石，无远不到。到则披草而坐，倾壶而醉。醉则更相枕以卧，卧而梦。意有所极，梦亦同趣。觉而起，起而归；以为凡是州之山水有异态者，皆我有也，而未始知西山之怪特。

　　今年九月二十八日，因坐法华西亭，望西山，始指异之。遂命仆人过湘江，缘染溪，斫榛莽，焚茅茷④，穷山之高而止。攀援而登，箕踞⑤而遨，则凡数州之土壤，皆在衽席⑥之下。其高下之势，岈然洼然⑦，若垤若穴⑧，尺寸千里，攒蹙累积，莫得遁隐。萦青缭白，外与天际，四望如一。然后知是山之特立，不与培塿⑨为类，悠悠乎与颢气俱，而莫得其涯；洋洋乎与造物者游，而不知其所穷⑩。引觞满酌，颓然就醉，不知日之入。苍然暮色，自远而至，至无所见，而犹不欲归。心凝形释，与万化冥合。然后知吾向之未始游，游于是乎始，故为之文以

---

　①　僇人：指当加刑戮之人，泛指罪人，此处指柳宗元被贬官。
　②　隙：通"隙"，指公务之余。
　③　施施：缓缓走路的样子。
　④　斫榛莽，焚茅茷：砍去丛生的灌木，烧掉杂乱的茅草。
　⑤　箕踞：叉开两腿坐着。
　⑥　衽席：泛指卧席，此处指作者所处的地方。
　⑦　岈然洼然：突起和低洼的地方。岈：像犬牙那样突起。
　⑧　若垤若穴：有的像蚂蚁窝，有的像虫子洞。
　⑨　培塿：小土丘。培，音 pǒu。
　⑩　这句话的意思是：这景象多么旷远浩渺啊，我好像与弥漫于天地之间的大气一道存在，而不能了解它的边际；这景象多么广阔壮观啊，我好像与大自然一道游览，却不知道它的尽头。

志。是岁,元和四年也。

——《柳宗元集》

至小丘西小石潭记

从小丘西行百二十步,隔篁竹①,闻水声,如鸣佩环,心乐之。伐竹取道,下见小潭,水尤清冽。全石以为底,近岸卷石底以出,为坻为屿,为嵁为岩②。青树翠蔓,蒙络摇缀,参差披拂③。

潭中鱼可百许头,皆若空游无所依。日光下澈,影布石上,怡然不动④;俶尔远逝⑤,往来翕忽⑥,似与游者相乐。

潭西南而望,斗折蛇行⑦,明灭可见。其岸势犬牙差互,不可知其源。坐潭上,四面竹树环合,寂寥无人,凄神寒骨,悄怆幽邃⑧。以其境过清,不可久居,乃记之而去。

同游者吴武陵、龚右,余弟宗玄;隶而从者,崔氏二小生,曰恕己,曰奉壹。

——《柳宗元集》

---

① 篁竹:丛生的竹子。篁,竹林。

② 这句话的意思是:小潭以整块石头作为潭底,靠近岸边,石底有些部分翻卷上来露出水面,成为坻、屿、嵁、岩各种不同的形状。坻,水中的小块高地;嵁,凹凸不平的山岩。

③ 这句话的意思是:青葱的树木,翠绿的藤蔓,覆盖着、缠绕着、摇动着、连结着,参差不齐,随风飘荡。

④ 怡然不动:呆呆地停在那里一动也不动。

⑤ 俶尔远逝:忽然间向远处游去了。

⑥ 往来翕忽:来来往往轻快敏捷。

⑦ 斗折蛇行:一条小溪像北斗七星那样曲折,水流像蛇爬行那样弯曲。

⑧ 凄神寒骨,悄怆幽邃:使人心神凄寂,寒气透骨,安静极了,幽深极了。

晚明小品文中的山水与人趣

　　"小品"一词,原指节略本的佛经。《世说新语·文学》曰:"殷中军读小品。"刘孝标在注中解释道:"释氏《辨空经》有详者焉,有略者焉。详者为大品,略者为小品。"到了后世,小品则逐渐成为一种特定文体的专称。这种文体体裁十分多样,可以是游记,可以是书信,可以是序跋,也可以是传记等。以"小品"名之的原因,一是"小",即篇幅短小,以小见大,活泼生动;二是"品",即奇曲隽永,饶有情趣,富于艺术个性和品味。正式以"小品"来命名这种文体,大约始于明中叶。当时一些文人将自己或前人的此类性质的文章汇编成文集,而以"小品"名之。到了晚明,小品文创作已形成了大规模的风气,当时文人,几乎无人不作小品,以至于我们现在提起小品文,自然而然地会将其与晚明联系起来。

　　晚明小品文之所以如此发达,是因为小品文的特点,恰恰符合了晚明思潮影响下文人的审美趣味。小品文形制既自由,行文又随意,其内容或发议论,或谈掌故,或泄郁愤,或抒雅情,总之是直抒性灵,舒卷自然。这些特点,与晚明文人"求真"、"主情"、"尚趣"的追求相契合,故小品文在他们手中焕发了最耀眼的光辉。而在众多题材的小品文中,有一类又尤其出色,那便是山水游记,也就是山水小品文。山水小品文不仅在晚明小品文中占有最多的数量、代表了其最高的成就;就是在整个古代山水游记中,它也是唐宋之后的另一个高峰。那么,同样是山水游记,晚明山水小品文与前代最本质的不同是什么呢?用最精炼的语言来概括,那便是"人趣"。

既为游山玩水，必然有个"趣"在里面。那么，晚明山水小品文，又何以能以"人趣"成为其迥别于前代的特点？这是因为，晚明文人写作山水游记，在思想旨趣上便与前代文人不同。晚明之前的山水观，常以山水来比附道德，此说自孔子"智者乐水，仁者乐山"始，千百年间影响了无数文人。虽然在不同时期，文人的"山水—道德"观念的内涵也有不同，比如魏晋文人"万物虽参差，适我无非新"的生命体认，比如柳宗元"漱涤万物，牢笼百态"的物我合一，但无论如何，总是将自我情操与自然联系起来，以"我"观"物"，并将物人格化。但到了晚明，"寓理言志"已经并非文人写作山水游记的主要指导思想。许多文人游山玩水，写作游记，只是对山水纯粹的喜爱和对畅游之趣的向往。这种喜爱和向往，甚至融入到其生命中。晚明人喜谈"癖"，对山水的嗜好也是一种"癖"。有山水之癖者，甚至在精神世界中也可与山水相期、相遇。袁宏道在《题陈山人山水卷》一文中便说："纵终身不相遇，而精神未尝不往来也，是之谓真嗜也。"

在《龚惟长先生》一文中，袁中郎又说："大抵世间只有两种人，若能屏绝尘虑，妻山侣石，此为最上。如其不然，放情极意，抑其次也。"可见，晚明文人对山水的热爱，完全来自于其内心对适意、自由的渴望，即便不能"妻山侣石"、居于山水之中，也要"放情极意"，极尽遨游之能事，哪怕是在精神上与山水往来。明乎此，方可了解晚明山水小品文中的"人趣"。此前的山水游记中为何缺少"人趣"？皆因为"寓理言志"的传统观念作祟。晚明文人眼中只有"癖"，所以能淡化"山水—道德"的人格对应，惟其如此，才能在摆脱束缚的情形下充分表现出"人趣"。我们以晚明山水小品文的两个代表人物——袁宏道和张岱，结合其人其文来试作了解。

　　一是真情之趣。晚明文人之所以多"癖"，是因其深情。张岱说得好："人不癖不可与交，以其无深情也。"山水之癖，也来自文人对山水的一往情深。这种情不同于王羲之的"一觞一咏，亦足以畅叙幽情"的情，也不同于柳宗元"寂寞而莫我知也"的情，而是将个性生命的认同置于传统社会规范之外，追求性灵之本真的情。正因为源于"真情"，所以能有"趣"。关于个中缘由，袁宏道在《叙陈正甫会心集》中说，"趣得之自然者深，得之学问者浅"，"入理愈深，然真去趣愈远矣"。正因为趣与情相关，而与理无涉，所以游玩山水能够得趣。同文中，袁中郎又说："山林之人，无拘无缚，得自在度日，故虽不求趣而趣近之。"以此心态去游玩山水，写作游记，故能满纸皆趣。

　　袁中郎之游记中，此种真情之趣在在皆是。试举几例。《雨后游六桥记》："寒食雨后，予曰：'此雨为西湖洗红，当急与桃花作别，勿滞也。'午霁，偕诸友至第三桥，落花积地寸余，游人少，翻以为快。忽骑者白纨而过，光晃衣，鲜丽倍常，诸友白其内者皆去其表。少倦，卧地上饮，以面受花，多者浮，少者歌，以为乐。偶艇子出花间，呼之，乃寺僧载茶来者，各啜一杯，荡舟浩歌而返。"《游盘山记》："泉莽莽行，至是落为小潭，白石卷而出，底皆金沙，纤鱼数头，尾鬣可数，落花漾而过，影彻底，忽与之乱。游者乐，释衣，稍以足沁水，忽大呼曰'奇快'，则皆跃入，没胸，稍溯而上，逾三四石，水益哗，语不得达。间或取梨李掷以观，旋折奔舞而已。"《灵岩记》："山上旧有响屧廊，盈谷皆松，而廊下松最盛。每冲飙至，声若飞涛。余笑谓僧曰：'此美人环佩钦钏声，若受具戒乎？宜避去。'僧瞠目不知所谓。石上有西施履迹，余命小奚以袖拂之，奚皆徘徊色动。碧意相钩，宛然石㶉中，虽复铁石作肝，能不魂销心死？色之于人，甚矣哉！山厌有西施洞，洞中石貌甚粗丑，不免唐突。"又如《天目》（二）："庵小而饰，竹石皆秀，面峰奇削，广不累丈，游人行刀脊上，发皆竖。峰颠老松，堰石侧出。周望缘而上，坐其干，余谓：'陶王孙，今即真矣。'周望身赢瘦，故有此戏。"

在这几篇小品文中，袁中郎以率真的情感随性地面对自然，与之对话、交流，故能体悟到山水之趣。比如《雨后游六桥记》中的"卧地上饮，以面受花，多者浮，少者歌，以为乐"，我们试与《兰亭集序》中众名士饮酒的情形加以比较便可发现，晚明文人的山水之趣，较之魏晋士人更为生活化，也更为活泼随性，这同时也是晚明思潮同魏晋风度的区别所在。又如《游盘山记》中的"游者乐，释衣，稍以足沁水，忽大呼曰'奇快'，则皆跃入，没胸，稍溯而上"，这群文人仿佛就活跃在眼前，以至于我们都能被那种兴致趣味所感染。稍晚的陆云龙评论袁中郎之文说"真率则性灵现，性灵现则趣生"，概括得非常准确。

稍晚于袁宏道的张岱，在其小品文中也常常体现出真情之趣。张岱同样是一个深于情之人，惟其深情，因此成癖。在《自为墓志铭》中，张岱自我评价道："极爱繁华，好精舍，好美婢……好烟火，好梨园，好鼓吹，好古董，好花鸟，兼以茶淫橘虐，书蠹诗魔，劳碌半生，皆成梦幻。"张岱的癖好，其实还有山水之癖。他的大半生都在漂泊中度过，所谓"漂泊"，其实多数时候倒是在游山玩水。其《陶庵梦忆》和《西湖梦寻》两部集子中，多篇文章也都与山水记游有关。张岱本是一真情之人，其山水小品文，处处都有真情、真趣表露。但张岱的趣，又不同于袁宏道的趣。我们试看他的名篇《湖心亭看雪》：

崇祯五年十二月，余住西湖。大雪三日，湖中人鸟声俱绝。是日更定矣,余挐(拿)一小舟,拥毳衣炉火,独往湖心亭看雪。雾凇沆砀,天与云与山与水,上下一白。湖上影子,惟长堤一痕、湖心亭一点、与余舟一芥,舟中人两三粒而已。

到亭上,有两人铺毡对坐,一童子烧酒,炉正沸。见余,大喜曰:"湖中焉更有此人?"拉余同饮。余强饮三大白而别。问其姓氏,是金陵人,客此。及下船,舟子喃喃曰:"莫说相公痴,更有痴似相公者。"

袁中郎所表达的趣,是一种生活化的活泼;而张岱此文中的趣,则是一种自得其乐之趣,只可意会,不可言传。但不论是哪种趣,都已经内化在晚明文人的精神之中,不论是其生活,还是作诗为文,都不能离开。竟陵派作家钟惺说得好:"人之能知觉运动以生者,趣所为也……故趣者,止于其足以生而已。"钟惺在这里将趣上升到主宰"人之能直觉运动以生"的高度,足见晚明文人对趣的重视。而趣又从何处来呢?凭空是捏造不出来的,必须要有真情,如陆云龙所说"真率则性灵现,性灵现则趣生"。

二是世俗之趣。晚明之前的山水游记,所描写的对象纯然是山水,基本上不涉及世俗之相。比如前节我们所提到的柳宗元的"永州八记",写的都是城郊的山水,甚至都很少出现"游人"的形象。而晚明的山水小品文则完全不同,在字里行间,常表现出一种世俗之趣。所谓"世俗之趣",一是在山水游记中,混杂着对世俗百态的描写,比如张岱的名篇《西湖七月半》,虽然是描写西湖风光,但其中多半篇幅反而是西湖中游玩之人;二是游记中的山水,不再集中在那些远离喧嚣的幽峭之地,而是俗世中的山水,山水与市井合二为一,写山水即是写世俗,写世俗也即是写山水;三是游玩者以一个市井之民的眼光来欣赏俗世浮华,因此其笔下的游记也就充满着世俗之趣。

雪中西湖

晚明山水小品文之所以会出现这种变化,是与时代发展分不开的。在晚明的时代背景下,文人群体出现了世俗化的倾向,而文人的世俗化,直接导致了文学的世俗化,山水小品文中的世俗之趣,就是这种发展的直接表现。在这种情形下,文人们一改传统士子清高孤傲的态度和对世俗生活俯瞰式的姿态,纷纷投身于市井,尽情享受世俗生活带来的愉悦。还有一点是值得注意的,自古以来文人都称道那种清贫的美德,比如孔子称颂颜回的"一箪食,一瓢饮,在陋巷,人不堪其忧,回也不改其乐",还有陶渊明不为五斗米折腰,躬耕田园、甘于清贫的高尚人格。但是到了晚明,文人开始大胆地表达新时代的富贵观念,谢肇淛就说:"贫贱不如富贵,乃俗语也。富贵不如贫贱,乃矫语也。贫贱之士,奔走衣食,妻孥交谪,亲不及养,子不能教,何乐之有?"明确表示人生之乐要建立在足够的财富基础上。这种世俗的享乐观,在晚明文人中实则是一种较为普遍的观念。

　　袁宏道和张岱正是这种世俗享乐观的代表。袁中郎认为世间有四种人,"有玩世,有出世,有谐世,有适世",而他最欣赏的则是"适世"。所谓"适世",其实也就是"享世",所以在给龚惟长的信中,他表露了自己心目中人生的幸福有"五乐",比如"目极世间之色,耳极世间之声,身极世间之鲜,口极世间之谭"等。而张岱在《自为墓志铭》中也坦言自己一生"极爱繁华,好精舍,好美婢……",总之就是喜爱世俗的享乐。其为人如此,那么他们的山水小品文表达出一种世俗之趣,也就是自然而然的事了。比如袁宏道的《荷花荡》,所描写的荷花荡虽然是苏州市郊的一处自然景观,但他起笔,却从游人玩赏的盛状写起:"荷花荡在葑门外,每年六月廿四日,游人最盛,画舫云集,渔刀小艇,雇觅一空,远方游客,至有持数万钱,无所得舟,蚁旋岸上者。舟中丽人,皆时妆淡服,摩肩簇舄,汗透重纱如雨。其男女之杂,灿烂之景,不可名状。大约露帷则千花竞笑,举袂则乱云出峡,挥扇则星流月映,闻歌则雷辊涛趋。苏人游冶之盛,至是日极矣。"再如《虎丘》:"虎丘去城可七八里,其山无高岩邃壑,独以近城故,箫鼓楼船,无日无之。凡月之夜,花之晨,雪之夕,游人往来,纷错如织,而中秋为尤胜。每至是日,倾城阖户,连臂而至,衣冠士女,下迨蔀屋,莫不靓妆丽服,重茵累席,置酒交衢间。从千人石上至山门,栉比如鳞,檀板丘积,樽罍云泻,远而望之,如雁落平沙,霞铺江上,雷辊电霍,无得而状。"

　　张岱的山水小品文同样也充满了世俗之趣,以其代表性的作品集《陶庵梦忆》为例,其中颇多山水游记,但没有一篇是单纯描写景物的,皆充满着俗世生活的气息。比如其名篇

《西湖七月半》，从题目来看，描写的是七月半的西湖景光，若以传统山水游记的写法，其视野通常集中于西湖的湖光山色；但在此篇中，张岱却将大量笔墨放在了游西湖之人上。开篇便说："西湖七月半，一无可看，止可看看七月半之人。"接下来，他以生动的笔触描写了五类人不同的看月情态，有"看月而实不见月者"，有"身在月下而实不看月者"，有"亦看月而欲人看其看月者"，有"月亦看，看月者亦看，不看月者亦看，而实无一看者"，还有"看月而人不见其看月之态，亦不作意看月者"。描写这五类人，目的虽然是衬托"我辈"的高雅风范，但这些场景的描绘，却生动地再现了当时杭州城的世俗民风，文章既是风景画，又是风俗画。这种浓厚的世俗气息，同样体现在其他一些篇目中，较典型的，比如《陶庵梦忆》中的《日月湖》、《燕子矶》、《二十四桥风月》、《扬州清明》、《西湖香市》，《西湖梦寻》中的《灵隐寺》、《三生石》、《苏公堤》、《苏小小墓》等。总之，张岱的山水小品文既是一个"资深"游人眼中的名胜风光史，也是一个俗世享乐者眼中的晚明社会风俗史。

周作人先生在《〈陶庵梦忆〉序》中很精辟地指出："张宗子是个都会诗人，他所注意的是人事而非天然，山水不过是他所写的生活的背景。"事实上，晚明的文人，有几个不是"都会诗人"呢？表面上写山水，而实际上则是写真情、写世俗，这正是晚明山水小品文之所以有"人趣"，从而区别于前代山水游记的主要原因。

原典选读

西湖七月半

　　西湖七月半，一无可看，止可看看七月半之人。看七月半之人，以五类看之：其一，楼船箫鼓，峨冠①盛筵，灯火优僎②，声光相乱，名为看月而实不见月者，看之；其一，亦船亦楼，名娃闺秀，携及童娈，笑啼杂之，环坐露台，左右盼望，身在月下而实不看月者，看之；其一，亦船亦声歌，名妓闲僧，浅斟低唱，弱管轻丝，竹肉相发，亦在月下，亦看月而欲人看其看月者，看之；其一，不舟不车，不衫不帻，酒醉饭饱，呼群三五，跻入人丛，昭庆、断桥③，嚣呼嘈杂，装假醉，唱无腔曲，月亦看，看月者亦看，不看月者亦看，而实无一看者，看之；其一，小船轻幌④，净几暖炉，茶铛旋煮，素瓷静递，好友佳人，邀月同坐，或匿影树下，或逃嚣里湖，看月而人不见其看月之态，亦不作意看月者，看之。

　　杭人游湖，巳出酉归⑤，避月如仇。是夕好名，逐队争出，多犒门军酒钱，轿夫擎燎⑥，列俟岸上。一入舟，速舟子急放断桥，赶入胜会。以故二鼓以前，人声鼓吹，如沸如撼，如魇如呓，如聋如哑。大船小船一齐凑岸，一无所见，止见篙击篙，舟触舟，肩摩肩，面看面而已。少刻兴尽，官府席散，皂隶喝道去。轿夫叫船上人，怖以关门，灯笼火把如列星，一一簇

---

① 峨冠：高高的帽子，指士大夫。
② 优僎：优伶和仆役。
③ 昭庆、断桥：昭庆，昭庆寺；断桥，西湖白堤上的桥名。皆为西湖名胜。
④ 轻幌：薄薄的窗幔。
⑤ 巳出酉归：巳，约为上午九时至十一时；酉，约为下午五时至七时。
⑥ 燎：火把。

拥而去。岸上人亦逐队赶门,渐稀渐薄,顷刻散尽矣。

吾辈始舣舟①近岸,断桥石磴始凉,席其上,呼客纵饮。此时月如镜新磨,山复整妆,湖复靧面②,向之浅斟低唱者出,匿影树下者亦出。吾辈往通声气,拉与同坐。韵友来,名妓至,杯箸安,竹肉发。月色苍凉,东方将白,客方散去。吾辈纵舟,酣睡于十里荷花之中,香气拍人,清梦甚惬。

——《陶庵梦忆》

---

① 舣:通"移"。
② 靧面:洗脸,此处指西湖换了一番新颜。

园林声妓之美

园林初不过是为天子公侯跑马、田猎而指画的一片土地，内中多圈禽兽、广植草木，既不废国家武备，也可消政务之乏，更是礼乐施行之所。譬如汉天子有上林苑，"苑"者所以养禽兽也，"林"者，谓平土有丛木也，此即园林之义，正类于后来所谓围场。"文王之囿方七十里"，而能"与民同之"，就成了孟子劝齐宣的话头，寄寓了儒家的仁政理想。随着天下物力加盛，园林之构由圈地转为营建，杰作无数。皇家园林如已隳之圆明、尚存之颐和，皆足以惬心悦目。然而园林文化真正的精髓还在于士大夫的半亩方塘，自谢安东山携妓，声伎之欢和园林之趣就合成一义。若董仲舒"三年不窥园"、杜丽娘"锦屏人忒看得这韶光贱"，又岂单就林泉花鸟而发。

皇家园林与私家园林——美学追求

　　山水是古人的永恒情怀,在"天人合一"、"道法自然"等中国传统哲学熏陶下,人们对于大自然有着分外深厚的亲近与依赖。登东皋以舒啸,临清流而赋诗,显达时不忘山水之乐,失意穷困时更是浪迹山林,去俗忘忧,逍遥如闲云野鹤。不管是在朝还是在野,得意还是失意,游山玩水、纵情自然,永远是人们最后的心灵皈依。然而,随着人类文明的不断发展,社会生产力的不断进步,城市的出现,在某种程度上将人们与大自然隔离开来。城市的规模越大,相对隔离的程度也就越高。城市为人们带来更为舒适优越的生活条件的同时,也让人们失去了亲近自然的机会。为了解决这一困扰,古人寻得了一种智慧而艺术的补偿方式,有效地兼顾了日常生活的物质需要与流连山水的精神需求,这就是——园林。

园林,学界将其定义为:在一定的地段范围内,利用、改造天然山水地貌,或者人为地开辟山水地貌,结合植物栽培、建筑布置,辅以禽鸟养畜,从而构成一个以追求视觉景观之美为主的赏心悦目、畅情抒怀的游憩、居住的环境。[①] 园林的出现,使得人们不必再受时空所限与跋涉之苦,可以随时随地在自己的生活居所享受丘山之乐、隐逸之趣,正如白居易在诗中所写:"进不趋要路,退不入深山。深山太获落,要路多险艰。不如家池上,乐逸无忧患。""偶得幽闲境,遂忘尘俗心。始知真隐者,不必在山林。"与讲究规矩格律、对称均齐、着重在显示园林总体的人工图案美的西方规整式园林不同,中国古典园林乃是一种风景式园林,规划自由灵活而不拘一格,表现出顺乎大自然风景构成规律的缩移和摹拟,着重显示出纯自然的浑然之美。中国古典园林自公元前 11 世纪的奴隶社会末期直到 19 世纪末封建社会解体,其历史绵延三千余年,较少受到外来影响,在较为独立、稳定而缓慢的发展中,逐渐形成了世界上独树一帜的中国园林体系。

中国古典园林的类型划分多种多样,最常见的是按照园林的隶属关系将其分为皇家园林、私家园林、寺观园林、衙署园林、书院园林等不同种类。其中最重要、最成熟,也最具代表性的便是皇家园林与私家园林,可以说,这两个类型作为园林的精粹,无论在造园思想或造园技术方面,都足以代表中国古典园林最辉煌的成就。

皇家园林属于皇帝个人和皇室所私有,古籍中也称之为苑、苑囿、宫苑、御苑、御园等。早在商周的奴隶社会时期,天子、诸侯、卿大夫等贵族奴隶主所拥有的贵族园林便具有了

---

① 周维权《中国古典园林史》,清华大学出版社,2008 年 11 月第 3 版,第 3 页。

皇家园林的雏形,但此时的园林并不是真正意义上的皇家园林。直到秦代开创了以地主小农经济为基础的中央集权的封建帝国,国家权力集中于皇帝一人之手,形成"率土之滨,莫非王臣"的大一统局面,真正的皇家园林才正式出现,其最鲜明的特色,便是为了体现皇权的至高无上,皇家园林尽管也是摹山拟水,却在不违背风景式造景原则下尽显浓郁的皇家气派。皇帝利用其特殊的政治地位,能够占据大片土地,耗费大量财力,召集天下能工巧匠,为其修建宫苑,供其一人享受。故而,皇家园林往往具有宏大的规模、恢弘的气势、严谨的格局、壮观肃穆的建筑和富丽堂皇的色彩。由于占地面积的广阔,皇家园林通常能够将自然水系与地势纳入造园考量,并开垦大片土地建造人工山水。如秦始皇曾将渭水引入长安,形成以巨大的水面环绕岛屿(象征蓬莱、瀛洲等仙岛)的园林格局;汉武帝在长安宫苑中模拟大海而开挖了"昆明池"、"太液池",并在池中模拟海上仙山而建造高二十丈的"渐台"等巨大人造山体。"海中建山"成为了中国皇家园林中山水景观体系的重要特点,以显示皇家富有四海的观念。

皇家园林按其不同的使用情况分为大内御苑、行宫御苑、离宫御苑。大内御苑建置在首都的宫城和皇城之内,便于皇帝日常临幸游憩。行宫御苑和离宫御苑则建置在都城近郊、远郊的风景优美之处,或者远离都城的风景地带。前者供皇帝偶尔游憩或短期驻跸之用,后者则作为皇帝长期居住、处理朝政的地方,相当于一处与大内相联系着的政治中心。

在魏晋之前,皇家园林是中国造园活动的主体。魏晋南北朝时期,社会动荡,思想活跃。思想的解放促进了艺术的发展,造园活动也开始普及民间。园林不再是显示皇权、宗教色彩的载体,而转向了满足人的物质享受和精神享受、以

审美为主的艺术创作新境界。私家园林于是勃兴,最终成为
与皇家园林双峰并峙的艺术产物。私家园林属于民间的贵
族、官僚、缙绅所私有,古籍中亦称之为园、园亭、园墅、池馆、
山池、山庄、别业、草堂等。封建礼法制度为了区分尊卑贵贱
而对士民的生活和消费水平进行限制,一旦超过便属于僭越
和逾制,要受到严厉的处罚。故而,私家园林在规模和气势
上要远远小于皇家园林。由于园主人身份所限,私家园林占
地面积往往不大,建置在城镇里的多为"宅园",依附于宅邸
作为主人日常游憩、宴乐、会友、读书之所,一般紧邻宅邸后
部形成"前宅后园"的格局,或位于宅邸的一侧而成为跨院。
此外,还有不依附于宅邸、单独建置的"游憩园"。建在郊外
山林风景地带的私家园林则为"别墅园",由于不受城市用地
限制,规模一般比宅园稍大一些。

　　私家园林的主人以封建社会地主阶层为主,其中有很大
一部分属于读书的知识分子。他们将自己的人生理想、人格
追求与审美喜好融入园林的构建中,将自己对自然山水的向
往、隐逸山林的理想与独立人格的追求表现得淋漓尽致。筑
山理水,曲径通幽,泉石花木,清风朗月,在这样一种摒弃尘
嚣的自然山野氛围中,自己仿佛脱离了世俗琐事,获得了超
然物外、宁静淡泊的心灵体验。私家园林不追求规模上的恢
弘,而更注重细微处的精致,在有限的空间里充分发挥精湛
的造园技艺,巧妙借助建筑、山石、花木,组合出有如"壶中天
地"般的诗化意境。

　　中国古典园林在美学追求上分为四个方面:自然美,建
筑美,诗画美,意境美。这乃是中国古典园林在世界上独树
一帜的主要标志。

　　本于自然而高于自然,是中国古典园林一个最重要的特
征。中国古典园林虽然遵循着自然风景构成规律,却又不完

全是对构景要素的简单复制或模拟,而是有意识地进行改造、调整、剪裁、加工,从而形成一个精炼、概括、带有人文色彩的"人造自然"。山、水、植被这些自然构景要素到了园林中,也纷纷带有了人们独具的匠心。"叠山"是一种特殊的堆筑假山技艺,石山全部用天然石块堆筑而成,一般高不过八九米,或模拟真山全貌,或截取真山一角,都以小尺度而囊括峰、峦、岭、岫、洞、谷、悬崖、峭壁等诸多要素,是对天然山岳的抽象化、典型化处理。远观取其势,近看取其质,甚至还能进入山洞之中,或是登临假山之顶,体验游山之乐。园林中的水体多是摹拟自然河流、湖泊、池沼、泉流等,讲求"虽由人作,宛自天开",再小的水面亦要曲折有致,并以山石点缀岸、矶,较大的水面则架构桥梁,堆筑岛、堤,尽量展现天然水景的全貌。园内水体与山石相互穿插、杂糅,形成山嵌水抱的态势,比自然更多了一份典型性。园内的植物以树木为主,往往以三五株虬枝古干给人以翁郁之感,以显示大自然中枝繁叶茂的盎然生机。此外,人们还喜欢选择被赋予某种寓意的树木和花卉,如"岁寒三友"、"花中四君子"、国色天香的牡丹,以及宛若佳人丽姝的桂花、丁香、茉莉等,以寄托自己的理想与情怀。

山、水、植物、建筑是构成园林的四个基本要素。中国古典园林中的建筑,无论多寡、性质、功用如何,都要力求与其他三个要素有机地组合成一幅完整的风景画面,彼此协调,互相补充,使园林在总体上达到建筑美与自然美的融合,达到一种人工与自然高度和谐的境界。园林的建筑样式繁多,包括殿、厅、堂、馆、轩、斋、室、榭、舫、亭、廊、楼、阁、台、塔、桥、门等,形式自由随宜,因山就水,高低错落,并利用建筑内部与外部空间的通透性,把建筑物的小空间与自然界的大空间连接起来,形成"窗含西岭千秋雪,门泊东吴万里船"的奇妙景致。此外，匠师们还创造了许多别致的建筑形象，进一步把建筑协调、融糅于自然之中，如用临水之"舫"与陆地上的"船厅"来模仿水乡舟船之貌，用飘然凌波的"水廊"、通花渡壑的"游廊"、蜿蜒山际的"爬山廊"来将人为的建筑与自然维系在一起，水乳交融，返璞归真。

诗画与园林的结合是中国古典艺术相互渗透的成功典范。诗情，不仅表现在对古人诗文中所描述的场景的再现，或运用景名、匾额、楹联等文学手段对园景进行直接点题，还体现在对诗文章法的借鉴。如钱咏所说："造园如作诗文，必使曲折有法，前后呼应；最忌堆砌，最忌错杂，方称佳构。"园内游览路线不可平铺直叙，而是运用各种构景要素在迂回曲折中循序渐进。大型园林的观览，一般必有前奏、起始、主题、高潮、转折、结尾，给人以丰富多彩、赏心悦目的游览体验。有时还要穿插一些对比、悬念、欲扬先抑等手法，使人有惊叹之感，与诗文艺术有着异曲同工之妙。中国绘画与园林的关系也密不可分。中国的山水画重在写意，是画家对大自然的主观理解，是对时空具有较大概括性的山水风景。这与园林"本于自然，高于自然"的特点十分相似，因而造园便可以参照绘画的立意、构思、创作方式，来增强其艺术表现力。园林中的山石堆叠、植物配置、建筑设计，都在不同程度上融入了画理，展现出绘画性的构图美、线条美与色彩美。

意境，是中国艺术创作和鉴赏方面的一个重要美学范畴。意，即主观理念、感情；境，即客观生活、景物。意境则将两者结合起来，是将创作者的主观情感、理念融入客观的生活、景物之中，引起观赏者相类似的情感激动和理念联想。通俗来讲，就是寓情于景，情景交融。中国的诗画艺术极其重视意境的塑造，重写意、贵传神，形象的逼真与否倒在其次。作为与诗画有着紧密联系的园林，意境亦同样是不可或缺的部分。中国古典园林在意境表述方面大致有三种方式：第一,借助于人工的叠山理水把广阔的大自然山水风景缩移摹拟于咫尺之间。用具体的石、水物象来构建出自然山水的情境,正所谓"一拳则太华千寻,一勺则江湖万顷"。第二,预先设定一个意境的主题,然后借助于山、水、花木、建筑所构配成的物境把这个主题表现出来,从而传达给观赏者以意境的信息。此类主题大多源于文学创作、神话传说、遗闻轶事、历史典故以及对某些著名风景名胜的摹拟,在皇家园林中尤为普遍。第三,意境并非预先设定,而是在园林建成之后再根据现成物境的特征,用景题、匾、联、刻石等作出文字的"点题"。通过文字的直观表述,所要传达的意境便更加明确了。好的景题匾联,既能精准地概括景物的特色,又能激发人们的联想与想象,唤起其人生经历中的共鸣,于眼前而至天外,便得"景外之景"、"象外之趣"了。

原典选读

······

　　贾政刚至园门前,只见贾珍带领许多执事人来,一旁侍立。贾政道:"你且把园门都关上,我们先瞧了外面再进去。"贾珍听说,命人将门关了。贾政先秉正看门。只见正门五间,上面桶瓦泥鳅脊;那门栏窗槅,皆是细雕新鲜花样,并无朱粉涂饰;一色水磨群墙,下面白石台矶,凿成西番草花样。左右一望,皆雪白粉墙,下面虎皮石,随势砌去,果然不落富丽俗套,自是欢喜。遂命开门,只见迎面一带翠嶂挡在前面。众清客都道:"好山,好山!"贾政道:"非此一山,一进来园中所有之景悉入目中,则有何趣。"众人道:"极是。非胸中大有丘壑,焉想及此。"说毕,往前一望,见白石崚嶒,或如鬼怪,或如猛兽,纵横拱立,上面苔藓成斑,藤萝掩映,其中微露羊肠小径。贾政道:"我们就从此小径游去,回来由那一边出去,方可遍览。"

　　说毕,命贾珍在前引导,自己扶了宝玉,逶迤进入山口。抬头忽见山上有镜面白石一块,正是迎面留题处。贾政回头笑道:"诸公请看,此处题以何名方妙?"众人听说,也有说该题"叠翠"二字,也有说该提"锦嶂"的,又有说"赛香炉"的,又有说"小终南"的,种种名色,不止几十个。

　　原来众客心中早知贾政要试宝玉的功业进益如何,只将些俗套来敷衍。宝玉亦料定此意。贾政听了,便回头命宝玉拟来。宝玉道:"尝闻古人有云:'编新不如述旧,刻古终胜雕今。'况此处并非主山正景,原无可题之处,不过是探景一进步耳。莫若直书'曲径通幽处'这句旧诗在上,倒还大方气派。"众人听了,都赞道:"是极!二世兄天分高,才情远,不似我们读腐了书的。"贾政笑道:"不可谬奖。他年小,不过以一知充十用,取笑罢了。再俟选拟。"

　　说着,进入石洞来。只见佳木茏葱,奇花炳灼,一带清流,从花木深处曲折泻于石隙之下。再进数步,渐向北边,平坦宽豁,两边飞楼插空,雕甍绣槛,皆隐于山坳树杪之间。俯而视之,则清溪泻雪,石磴穿云,白石为栏,环抱池沿,石桥三港,兽面衔吐。桥上有亭。贾政与诸人上了亭子,倚栏坐了,因问:"诸公以何题此?"诸人都道:"当日欧阳公《醉翁亭记》有云:'有亭翼然',就名'翼然'。"贾政笑道:"'翼然'虽佳,但此亭压水而成,还须偏于水题方称。依我拙裁,欧阳公之'泻出于两峰之间',竟用他这一个'泻'字。"有一客道:"是极,是极。竟是'泻玉'二字妙。"贾政拈髯寻思,因抬头见宝玉侍侧,便笑命他也拟一个来。

　　宝玉听说,连忙回道:"老爷方才所议已是。但是如今追究了去,似乎当日欧阳公题酿泉用一'泻'字则妥,今日此泉若亦用'泻'字,则觉不妥。况此处虽云省亲驻跸别墅,亦当入于应制之例,用此等字眼,亦觉粗陋不雅。求再拟较此蕴藉含蓄者。"贾政笑道:"诸公听此论若何? 方才众人编新,你又说不如述古;如今我们述古,你又说粗陋不妥。你且说你的来我听。"宝玉道:"有用'泻玉'二字,则莫若'沁芳'二字,岂不新雅?"贾政拈髯点头不语。众人都忙迎合,赞宝玉才情不凡。贾政道:"匾上二字容易。再作一副七言对联来。"宝玉听说,立于亭上,四顾一望,便机上心来,乃念道:

　　绕堤柳借三篙翠,隔岸花分一脉香。

　　贾政听了,点头微笑。众人先称赞不已。

　　……

——《红楼梦》第十七回

佛寺之清幽与文人之禅趣

魏晋南北朝时期，社会动荡，战乱频仍，政权更迭十分频繁。东汉末年各地军阀不断壮大，相互兼并，至汉亡后形成魏、蜀、吴三足鼎立的局面。而后司马氏建立的晋王朝于公元 280 年灭吴，统一全国，结束了一百多年来的分裂局面，史称西晋。然而，门阀士族与寒门庶族之间的矛盾，皇室、外戚、士族之间的权力争斗，使得西晋的统治岌岌可危。公元 300 年，著名的"八王之乱"爆发，诸王混战使得百姓流离失所，酿成流民起义，移居中原的少数民族也在豪酋的裹胁下纷纷发动叛乱。黄河流域逐渐陷入了匈奴、羯、氐、羌、鲜卑五个少数民族的相互混战，并先后建立了十六国政权。而司马氏则南渡至长江中下游地区，于公元 317 年建立了东晋王朝，在迁徙而来的北方士族与当地士族的支持下维持了一百多年之后，又相继为宋、齐、梁、陈四个汉族政权所迭代。是为南北朝对峙时期。最终隋文帝在公元 589 年灭北周与陈，结束了魏晋南北朝历时三百多年的分裂，使中国重新恢复了大一统的局面。

在这段漫长的动荡分裂时期，国家大一统的破坏削弱了对意识形态与思想观念的钳制，儒学独尊的局面被打破，人们的思想得到了空前的解放，开始向非正统的和外来的种种思想中寻求生命的真谛。一时间，儒学、老庄、玄学等诸家争鸣，佛学这种引自域外的思想学说也于此时蔚然兴盛起来。

佛教早在东汉时期就已传入中原，在当时却并未引起广泛重视，人们也只是将其作为神仙方术一类来看待。而到了魏晋时期,社会的动荡与思想的解放,为其发展与传播提供了条件,处于战乱苦痛中的人们普遍存在着一种对现实的不满与厌弃的心理,而佛家教义中所宣扬的因果报应、轮回转世学说则恰好为其提供了精神上的寄托和慰藉,统治者也利用这种对百姓的迷惑与麻醉的作用,来维护自己的统治,故而对佛教的发展大加鼓励与扶持。北方少数民族政权中最为强大的北魏笃信佛教,迁都洛阳后曾大量建置佛寺,最盛时期,城内及附郭一带的佛寺多达1367所。杨衒之《洛阳伽蓝记》中记载道:"逮皇魏受图,光宅嵩洛,笃信弥繁,法教逾盛。王侯贵臣,弃象马如脱屣;庶士豪家,舍资财若遗迹。于是昭提栉比,宝塔骈罗,争写天上之姿,竞摹山中之影;金刹与灵台比高,广殿共阿房等壮。"可见当时洛阳城佛寺之壮观繁盛。而南朝的建康亦是佛寺林立,东晋时有30余所,宋1913所,齐2015所,梁2846所,陈1232所,正所谓"南朝四百八十寺,多少楼台烟雨中"。

佛寺的广泛兴建,推动了寺院园林这一新的园林类型的出现和发展。在佛教的发源地古印度,早期的寺院有两种,一种叫做"僧伽蓝",简称"伽蓝",一般由国王或富人施舍;另一种叫做"阿蓝若",简称"蓝若",是一人或二三人在偏僻的地方构筑的极简单的小屋,以作居住、修持之用。前者规模较大,数量较多,汉译为"精舍"。伽蓝之内包含僧房、佛堂、讲堂、大塔等建筑,而又以塔作为建筑群的主体。这种伽蓝的模式随佛教传入中国后,逐渐融糅于发达的汉式建筑体系中,发展成为汉式的寺院。作为建筑主体的塔也由原有的类似半圆球体外形演变为中国传统的多层木构楼阁。与印度伽蓝带有浓厚的宗教色彩所不同的是,汉式寺院受到时代美学的影响,更多地带有世俗化、审美化的倾向。南北朝的佛教徒中盛行一种"舍宅为寺"的风气,即将自家的邸宅贡献出来作为佛寺使用,原有的居住用房改造成为殿宇和僧房,而宅园则保留为寺院的附园。此外,寺院内部殿堂庭院的绿化或园林化,以及野郊地带寺院外围的园林化环境,也都包括在寺院园林的范畴之内。

佛家的出世观以及佛经中记载的僧侣们深山修行的故事,使得中国的僧侣们也纷纷去寻求清幽静寂的修持环境。他们怀着对宗教虔诚的信仰,不辞艰险地在人迹罕至的山野川岳间修筑佛寺,将山水草木之幽静纳入寺院之内。即便是建置在城郭之内的寺院,也往往设计得清寂雅致,将楼阁、山水、泉石、花木巧妙地融合为一个有机的整体,使得佛寺环境更加贴近自然,远离世俗尘嚣。如《洛阳伽蓝记》中所记载:

> 瑶光寺……千秋门内道北有西游园,园中有凌云台,即是魏文帝所筑者。台上有八角井,高祖于井北造凉风观,登之远望,目极洛川。台下有碧海曲池。台东有宣慈观,去地十丈。观东有灵芝钓台,累木为之,出于海中,去地二十丈。风生户牖,云起梁栋,丹楹刻桷,图写列仙。……讲殿尼房,五百余间。绮疏连亘,户牖相通,珍木香草,不可胜言。牛筋狗骨之木,鸡头鸭脚之草,亦悉备焉。

> 景林寺……寺西有园,多饶奇果。春鸟秋蝉,鸣声相续。中有禅房一所,内置祇洹精舍,形制虽小,巧构难比。加以禅阁虚静,隐室凝邃,嘉树夹牖,芳杜匝阶,虽云朝市,想同岩谷。净行之僧,绳坐其内,餐风服道,结跏数息。

> 景明寺……青林垂影,绿水为文,形胜之地,爽垲

独美。山悬堂观,一千余间。复殿重房,交疏对霤,青台紫阁,浮道相通。虽外有四时,而内无寒暑。房檐之外,皆是山池,松竹兰芷,垂列阶墀,含风团露,流香吐馥。……寺有三池,萑蒲菱藕,水物生焉。或黄甲紫鳞,出没于蘩藻;或青凫白雁,浮沉于绿水。礄砲舂簸,皆用水功。伽蓝之妙,最得称首。

修建于山水野郊之中的则如:

康僧渊在豫章,去郭数十里立精舍。旁连岭,带山川,芳林列于轩庭,清流激于堂宇。乃闲居研讲,希心理味。庾公诸人多往看之。观其运用吐纳,风流转佳,加已处之怡然,亦有以自得,声名乃兴。后不堪,遂出。(《世说新语·栖逸》)

济水又东北,右会玉水。水导源太山朗公谷,谷旧名琨瑞溪。有沙门竺僧朗,少事佛图澄,硕学渊通,尤明气纬,隐于此谷,因谓之朗公谷。……沙门竺僧朗,尝从隐士张巨和游,巨和常穴居,而朗居琨瑞山,大起殿舍,连楼叠阁,虽素饰不同,并以静外致称。(《水经注·济水》)

佛寺除了作为僧侣们的修行之所,同时也吸引了许多群众前往游览、赏玩,并参与各种宗教活动,如法会、斋会等,佛寺也成为了一种公共活动场所。《洛阳伽蓝记·宝光寺》讲:京城的读书人,每当遇到风和日丽的好日子,就会休假邀请好朋友,一同来游宝光寺。寺外的车一辆接着一辆,车顶的伞盖甚至遮蔽了阳光。他们有的就在寺中树林里、泉水旁饮酒谈禅,有的在花圃题诗,折藕浮瓜,遣怀助兴,盛景可见一斑。

　　社会形势的动荡、政治局面的紧张以及现实生活的残酷,使得这一时期的文人们纷纷向现实之外寻求精神上的安慰与解脱,佛学成为一个很好的选择。当时有许多文人名士笃信佛教,或著书立言,论述佛法要点,或结交名僧,执弟子礼以问法,或舍宅为寺,或远遁山林,或清谈佛理,或诗文论禅,佛教在文人骚客中广泛地渗透开来。在当时的很多诗文中都带有鲜明的佛理禅机色彩,如"生住无停相,刹那即徂迁"(萧衍《游钟山大爱敬寺诗》)、"但恐须臾间,魂气随风飘"(阮籍《咏怀诗》)、"观古今于须臾,抚四海于一瞬"(陆机《文赋》)等。孙绰(320—377)曾著《道贤论》,把两晋竺法护、帛远、支遁等名僧比作魏晋之际的"竹林七贤",各为之吟咏赞叹,又作《名德沙门题目》,用玄学名士的标准来品题道安、法汰、支愍度等名僧。

　　南朝著名的山水诗人谢灵运,也是一位虔诚的佛教徒。他曾结交过慧远、慧严、慧观、道生等高僧,还曾参与校释经典。他对佛教有较深的研究,并利用诗歌作为弘法工具,撰写了大量佛教题材的诗歌。如他的"良缘殆未谢,时逝不可俟。敬拟灵鹫山,尚想祇洹轨。绝溜飞庭前,高林映窗里。禅室栖空观,讲字析妙理",感叹时光易逝,浮生若梦,惟愿在禅室中研经修道;"望岭眷灵鹫,延心念净土。若乘四等观,永拔三界苦",表达了诗人虔诚修行净土法门,希望超脱轮回之苦的愿望。"虑淡物自轻,意惬理无违。寄言摄生客,试用此道推",则表现出在受佛法浸润之后心境暂得澄澈明净的情怀。在隐居始宁山墅时期,他以自己的山居生活为题材创作的《山居赋》,除了细致地描写了自己的山居生活,也倾诉了对佛教的倾心和对修道的体验:"钦鹿野之华苑,羡灵鹫之名山,企坚固之贞林,希庵罗之芳园。""面南岭,建经台;倚北阜,筑讲堂。傍危峰,立禅室;临浚流,列僧房。对百年之高木,纳万代之芬芳。抱终古之泉源,美膏液之清长。谢丽塔于郊郭,殊世间于城傍。欣见素以抱朴,果甘露于道场。"山水纵横、花果丰茂的始宁山墅,成为了谢灵运清幽宁谧的禅修之地。这是文人、佛法、园林和谐统一的一个典型实例。

与谢灵运交好的高僧慧远,是一名文人式僧侣,也是经营名山寺院的一个典型代表。慧远(334—416),俗姓贾,中国东晋时人,雁门郡楼烦县人(今山西宁武附近),出生于世代书香之家。居庐山,与刘遗民等同修净土,是净土宗的始祖。慧远年轻时曾遍游太行山、恒山,南下荆门,后至庐山,见庐山闲旷秀丽,是修行的好处所,便在江州刺史桓伊的资助下修建了庐山的第一座佛寺——东林禅寺,在此聚徒讲学,一住三十年,直至圆寂。慧远是一名十分博学的僧人,《高僧传》卷六《释慧远传》载,他"少为诸生,博综六经,尤善庄老",又精研佛理,擅长诗文,著《法性论》等三十五卷。谢灵运虽"负才傲俗,少所推崇",对他也"及一相见,肃然心服"。慧远对于山水风景与自然美的理解十分深刻,其所著《庐山略记》文情并茂地描绘了庐山景观的万千气象,可谓开庐山游记文学之先河。文中写道:"高崖仄宇,峭壁万寻。幽岫穷岩,人兽两绝。天将雨,则有白气先搏,而璎珞于山岭下,及至触石吐云,则倏忽而集。或大风振崖,逸响动谷,群籁竞奏,奇声骇人,此其变化不可测者矣。"文笔之生动典雅,不逊于当时的世俗文人。他所经营的东林寺亦是"清泉环阶,白云满室","森树烟凝,石径苔合","神清而气肃",充满了禅意与园林化色彩。

在慧远所组织的佛教团体"白莲社"中,也有许多文人名士,如刘程之、周续之、宗炳、张野、张诠、雷次宗等。他们共同讲论佛学、探讨玄理,也在慧远的影响下品玩山水,兴建园林。如著名画家宗炳便"雅好山水,往必忘归。西陟荆巫,南登衡岳。因结宇山中,怀尚平之志"(晋佚名《莲社高贤传》)。莲社成员以深厚的文化素养与高雅的品味,推动了民间造园水平的提高,也为后世文人园林的出现打下了坚实的基础。

原典选读

　　景明寺，宣武皇帝所立也。景明年中立，因以为名。

　　在宣阳门外一里御道东。其寺东西南北方五百步①。前望嵩山、少室，却负帝城。青林垂影，绿水为文，形胜之地，爽垲②独美。山悬堂观，一千余间。复殿重房，交疏对霤③，青台紫阁，浮道④相通。虽外有四时，而内无寒暑。房檐之外，皆是山池，松竹兰芷，垂列阶墀，含风团露，流香吐馥。

　　至正光年中，太后始造七层浮图一所，去地百仞⑤。是以邢子才《碑文》云"俯闻激电，旁属奔星"⑥是也。妆饰华丽，侔於永宁。金盘宝铎，焕烂霞表。

　　寺有三池，萑蒲⑦菱藕，水物生焉。或黄甲紫鳞⑧，出没于蘩藻；或青凫白雁，浮沉于绿水。磟碡春簸，皆用水功。伽蓝之妙，最得称首。

　　时世好崇福⑨，四月七日，京师诸像，皆来此寺。尚书祠部曹⑩录像凡有一千余躯。至八日，以次入宣阳门，向阊阖宫前受皇帝散花⑪。于时金花映日，宝盖浮云，幡幢若林，香烟似雾。

---

①　步：中国旧制长度单位，历代规定不一。周代以八尺为步，秦代以六尺为步。
②　爽垲：高朗而干燥，高爽之地。
③　霤(liù)：屋檐下接水长槽。
④　浮道：即复道，指架设于空中的通道。
⑤　仞：古代计量单位，用来测量长度或者深度。周一仞为八尺，汉制为七尺，东汉末为五尺六寸。
⑥　属：通"瞩"，指看、望。奔星：流星。
⑦　萑(huán)：芦类植物，幼小时叫"蒹"，长成后为"萑"。蒲：香蒲，一种水生植物。
⑧　黄甲：指龟鳖等甲壳类动物。紫鳞：指鱼类。
⑨　崇福：盛大的祭祀。
⑩　祠部曹：官署名。三国时期魏置，掌死丧赠赐等事。
⑪　散花：向佛像身上撒放花朵或于佛前散置花朵以供养佛。

采菊东篱

梵乐法音,聒动天地。百戏^①腾骧,所在骈比。名僧德众,负锡为群。信徒法侣,持花成薮。车骑填咽,繁衍相倾。时有西域胡沙门见此,唱言佛国^②。

——《洛阳伽蓝记》卷三《城南·景明寺》

---

① 百戏:杂技、歌舞及民间各种音乐技艺的总称。秦汉时已有,汉代又称"角抵戏",在汉宫廷和贵戚之家颇为流行。
② 佛国:佛出生之地,指印度。

唐宋的私家园林

　　唐宋时期,中国古典园林的发展由兴盛而至成熟,秦汉以来以皇家园林为主的园林格局被打破,民间造园活动日益声势浩大起来。私家园林开始与皇家园林并行发展,园林形式与造园技艺也更为多元化、专业化。其中,文人园林的兴盛,成为中国古典园林达到成熟地步的一个重要标志,也为后世园林艺术的发展开启了新的方向。

唐代的私家园林

　　盛唐时代,国力强盛,政局安稳,经济、文化高度繁荣,人民生活富足,文化素养也有所提高,开始有意识地追求生活品质与享乐。园林之趣也开始为人们所普遍喜爱。在当时经济、文化发达的地区,如中原、江南、巴蜀等地,据文献记载都有不少私家造园活动存在。而中原的西京长安,据《画墁录》所载,曾达到"公卿近郭皆有园池,以至樊杜数十里间,泉石占胜,布满川陆"的繁盛景象。

　　唐代私家园林的所有者,除皇家权贵之外,文人官僚占有很大比重。在当时,士族豪强势力逐渐衰减,科举制度的确立,使得广大庶族地主知识分子有了进身之阶。一旦取得功名,获得官职,除了能够拥有大展宏图、实现抱负的机会,也可以得到优厚的俸禄与稳定的生活保障。然而面对朝堂诡谲、宦海沉浮,文人所特有的清高心理与隐逸情怀,则让他们时常处于一种进退出处的矛盾之中。升迁与贬谪的无常,让仕途失意者需要心灵的慰藉,显达者亦要寻求精神压力的纾解。于是,他们便将目光投向了园林,作为平衡"庙堂之高"与"江湖之远"的纽带。王维曾云"迹崆峒而身拖朱绂,朝承明而暮宿青霭",园林在一定程度上让文人们既能满足避世的心理需求,又无需放弃现有的功名仕途;既能够近距离享受泉石之乐,又不必身体力行地远跋山林。这正如白居易所提出的"中隐":"大隐住朝市,小隐入丘樊。丘樊太冷落,朝市太嚣喧。不如作中隐,隐在留司官。似出复似处,非忙亦非闲。不劳心与力,又免饥与寒。终岁无公事,随月有俸钱。君若好登临,城南有秋山。君若爱游荡,城东有春园。……"故而,文人士大夫们都争相兴建园林,将自己的隐逸情怀寄托于园林,在园林间尽享出尘之乐。士流园林因而产生,又因其中文人出身的官僚居多,又催发了文人园林的兴起。

唐代的私家园林在经济文化发达地区,如中原、江南、巴蜀等地,均有广泛分布。中原地区以西京长安、东都洛阳最为繁多,可谓私园荟萃,鳞次栉比。洛阳的私园有许多为在朝权贵与官僚所建,其中有的甚至园主人终生都未曾到过,如白居易在《题洛中第宅》中写道:"试问池台主,多为将相官。终身不曾到,唯展宅图看。"江南地区的私家园林虽不如六朝时期鼎盛,但因大运河的开凿,带动了扬州一带城市经济的繁荣,私园的兴建数量也十分可观。西南地区的成都为巴蜀重镇,物产丰饶,人民生活富庶,文献也多有私家造园的记载。在当时的私家园林中,有修建在城市中的宅园和游憩园,也有营造于郊野地带的别墅园,而后者又有建在离城不远之地或单独建在风景名胜区之分。其中较为著名的文人园林有:

履道坊宅园　长庆四年(824),白居易罢杭州刺史,回到洛阳,在履道里购得故散骑常侍杨凭的宅园。购买时因钱不足，曾用两马抵偿。履道坊宅园中"竹木池馆，有林泉之致"，白居易又在旧园基础上加以修葺、改建，使其更为清雅精致。全园分为南园、西园和府第三部分，南园空间开阔，以水景与茂林修竹取胜，府第建筑集中，围合成廊院；西园比南园空间较小，有水池洲岛，亭廊桥榭，是主人与宾客饮宴酬唱之所，园内还设有粟廪、书库、琴亭等处，既满足居住，又便于游赏。白居易十分喜爱这座宅园，将过去历任为官所得、友人所赠的精品都安置在园内，平日闲暇的时候便优游于此。正如其《池上篇·序》中云："每至池风春，池月秋，水香莲开之旦，露清鹤唳之夕，拂杨石，举陈酒，援崔琴，弹姜《秋思》，颓然自适，不知其他。"

浣花溪草堂　诗人杜甫为避安史之乱，携家入蜀，流寓成都，于唐肃宗上元元年（760），择城西之浣花溪畔建置"草堂"。草堂最初仅占地一亩，后又加以扩建，建筑布置随地势的高下，充分利用天然的水景。主体建筑为茅草葺顶的草堂，《茅屋为秋风所破歌》指的就是此地。园内大量培植花木，果树、桤木、绵竹等遍布，再加上浣花溪的绿水白鸥，使得整个草堂充满了田园野趣。杜甫诗句中的"舍南舍北皆春水，但见群鸥日日来"，"窗含西岭千秋雪，门泊东吴万里船"，所描绘的都是此处的天然景致。

辋川别业　营建在天然山谷区内的别墅园，在陕西蓝田县南约 20 公里。最早为初唐诗人宋之问在辋川山谷中所建的一处庄园别墅，后由王维出资购得，在原有基础上根据天然山水地貌、地形和植被加以重建，使之既保有自然风致，又具有诗情画意。王维早年仕途十分顺利，安史之乱时因未能及时撤离长安，被迫担任伪职，平叛后朝廷虽未追究，却成为其一个无法抹灭的政治污点，王维因而无心仕途，晚年便辞官终老辋川，在佛理与山水间寻求寄托。别业共有 20 处景点：孟城坳、华子岗、文杏馆、斤竹岭、鹿柴、木兰柴、茱萸沜、宫槐陌、临湖亭、南垞、欹湖、柳浪、栾家濑、金屑泉、白石滩、北垞、竹里馆、辛夷坞、漆园、椒园。总体来讲以天然风景取胜，建筑物并不多，朴素疏朗。王维经常乘兴出游，沉浸于琴诗书画与佛理中。他与好友裴迪赋诗唱和，吟咏别业景致，得诗 40 首，结为《辋川集》，还亲作《辋川图》，对别业二十景作了逼真的描绘。

宋代的私家园林

两宋时期，城乡经济高度繁荣，国力却十分羸弱，周边地区的少数民族政权相继崛起，虎视中原，宋王朝内部文武失衡，矛盾频频，国家始终处于内忧外患的局面。从澶渊之盟到靖康之难，最终割地赔款，偏安江左。经济的发达与国势的衰微，使人们再没有了盛唐时期积极进取、建功立业的慷慨气概，而更多地沉湎于享乐，贪图暂时的平和安逸。在当时的北宋都城东京，到处都是珠帘绣户、宝马雕车，人们追求着珍馐佳肴、锦衣华服。在这种浮靡的社会风气之下，不管是王公贵胄还是庶民百姓，都纷纷大兴土木，营建园林。园林的数量之多、分布之广，更超过了隋唐时期。园林的建筑技艺也更加精湛，并出现了《营造法式》和《木经》这样专门记述当时建筑工程技术实践经验的理论性专著。园林建筑的形式变得多样化，建筑群体的组合方式愈加纯熟，花木的栽培技术、叠石筑山的技艺也都有所提高。

中原与江南是宋代经济、文化发达地区，又先后成为北宋与南宋的政治中心所在，私家园林的分布也最为密集。中原又以洛阳、东京（开封）两地，江南以临安、吴兴、平江（苏州）等地居多。宋人李格非所著《洛阳名园记》中记述了他所亲历的 19 处名重当时的洛阳园林，其中有 18 处为私家园林。

文中对诸园的总体布局以及山池、花木、建筑所构成的园林景观的描写具体翔实,可视为中原私家园林之代表。江南临安的私家园林分布在西湖一带的较多,《梦粱录》卷十九记述了比较著名的 16 处,《武林旧事》卷五记述了 45 处。其他如苏州、绍兴等地亦有知名于世的私家园林如沧浪亭、沈园等存在。

有宋一代重文轻武,文人的地位极其崇高。科举制度的完善,使得朝廷官员大多出身科举,并且重要官职均由文官担任,所得待遇也十分优渥。文官执政固然是宋代积弱的原因之一,却极大地推动了文化的繁荣发展。当时的官员平均文化素质之高可居各代之首,许多大官僚也是知名的文学家、画家、书法家。知识分子不仅限于地主阶级,也分布在城镇商人与富裕农民中。这些文人士大夫们也纷纷投身于造园活动中,或参与园林规划,或著文记述。他们将文人的审美情趣、思想格调融入园林的建造中,使得文人园林成为私家造园活动的一股主要潮流,还影响于皇家园林与寺观园林。

宋代的文人园林较之唐代更为成熟,园林风格的文人化特色也更为鲜明。学界将宋代文人园林的风格概括为:简远、疏朗、雅致、天然。具体说来,即园林景象简约而意境深远,山形、水体、花木、建筑不追求品种的繁复,不滥用设计技巧,也不过多地划分景地或景区;园内景物数量不求其多,而注重其整体性,山石、水体、植被、建筑的设置均以创造旷朗的氛围为要;园中多种植竹、梅、菊等带有高洁雅意的植物,石的广泛运用,显示了文人爱石的高雅情趣,建筑多有草堂、草庐,以及流杯亭的建置;园林内部成景以植物为主要内容,并且力求园林本身与外部自然环境的融合。宋代文人园林风格的奠定,是物质与思想的统一,是"意"与"匠"、"道"与

"器"的完美结合,是中国古典园林走向成熟的标志。

宋代文人士大夫的文化生活十分丰富,除传统的琴、棋、书、画外,还有品茶、古玩鉴赏、赏花、听曲等,他们时常聚集在一起,吟诗作画,宴饮酬唱,称为"雅集"。园林的清幽宁静,使之成为了雅集的最佳场所。被誉为"千古第一盛会"的"西园雅集"正是如此。西园为北宋驸马都尉王诜之第,当世文人墨客多雅集于此。元丰初,王诜曾邀同苏轼、苏辙、黄庭坚、米芾、蔡肇、李之仪、李公麟、晁补之、张耒、秦观、刘泾、陈景元、王钦臣、郑嘉会、圆通大师(日本渡宋僧大江定基)十六人游园。李公麟为之作《西园雅集图》,米芾又为此图作记,即《西园雅集图记》。史称"西园雅集"。由图与图记中可见,园中宾主姿态风雅,或写诗,或作画,或题石,或拨阮,或看书,或说经,极宴游之乐。园中景致素雅,古意盎然。这一"西园雅集",众人认为可与王羲之的"兰亭集会"相较,其景之胜,自然无需多言了。

原典选读

李伯时效唐小李将军①为著色泉石云物草木花竹,皆妙绝动人,而人物秀发,各肖其形,自有林下②风味,无一点尘埃气,不为凡笔也。其乌帽黄道服捉笔而书者,为东坡先生③;仙桃巾④紫裘而坐观者,为王晋卿⑤;幅巾青衣,据方几而凝伫者,为丹阳蔡天启⑥;捉椅而视者,为李端叔⑦;后有女奴,云鬟翠饰,侍立自然,富贵风韵,乃晋卿之家姬也。孤松盘郁,上有凌霄缠络,红绿相间。下有大石案,陈设古器瑶琴,芭蕉围绕,坐于石磬旁,道帽紫衣,右手倚石,左手执卷而观书者,为苏子由⑧。团巾茧衣,秉蕉箑而熟视者,为黄鲁直⑨。幅巾野褐,据横卷画归去来者,为李伯时⑩。披巾青服,抚肩而立者,

---

① 小李将军:李昭道,生卒年未详。字希俊,唐代画家。唐朝宗室,彭国公李思训之子,长平王李叔良曾孙。甘肃天水人。擅长青绿山水,世称小李将军。兼善鸟兽、楼台、人物,并创海景。

② 林下:指闲雅潇洒的态度。

③ 东坡先生:苏轼(1037—1101),字子瞻,又字和仲,号东坡居士,宋代重要的文学家,宋代文学最高成就的代表。

④ 仙桃巾:古代巾帽名。

⑤ 王晋卿:1036—1093后,一作1048—1104后,北宋词人。即王诜,字晋卿,太原(今属山西)人,徙居开封(今属河南)。出身贵族。

⑥ 蔡天启:蔡肇(?—1119),字天启,润州丹阳(今属江苏)人,北宋画家,能画山水人物木石,善诗文,著有《丹阳集》,曾任吏部员外郎、中书舍人等职。

⑦ 李端叔:1038—1117,名之仪,北宋词人,字端叔,自号姑溪居士、姑溪老农。

⑧ 苏子由:苏辙(1039—1112),字子由,自号颍滨遗老,汉族,眉州眉山(今属四川)人,北宋文学家、诗人、唐宋八大家之一。

⑨ 黄鲁直:黄庭坚(1045—1105),字鲁直,号山谷道人,晚号涪翁,洪州分宁(今江西修水县)人。北宋知名诗人,乃江西诗派祖师。书法亦能树格,为宋四家之一。

⑩ 李伯时:1049—1106,名公麟,号龙眠居士,宋代安徽舒州人。北宋著名画家,遗墨传世颇多,画家奉为典则。

为晁无咎①。跪而捉石观画者，为张文潜②。道巾素衣，按膝而俯视者，为郑靖老。后有童子执灵寿杖而立。二人坐于磐根古桧下，幅巾青衣，袖手侧听者，为秦少游③。琴尾冠、紫道服，摘阮者，为陈碧虚。唐巾深衣，昂首而题石者，为米元章④。幅巾袖手而仰观者，为王仲至⑤。前有鬈头顽童捧古砚而立，后有锦石桥、竹径，缭绕于清溪深处，翠阴茂密。中有袈裟坐蒲团而说无生论者，为圆通大师。旁有幅巾褐衣而谛听者，为刘巨济⑥。二人并坐于怪石之上，下有激湍潀流于大溪之中，水石潺湲，风竹相吞，炉烟方袅，草木自馨。人间清旷之乐，不过于此。嗟呼！汹涌于名利之域而不知退者，岂易得此耶！自东坡而下，凡十有六人，以文章议论，博学辨识，英辞妙墨，好古多闻，雄豪绝俗之资，高僧羽流之杰，卓然高致，名动四夷。后之览者，不独图画之可观，亦足仿佛其人耳！

——《西园雅集图记》

---

① 晁无咎：晁补之（1053—1110），字无咎，号归来子，汉族，济州巨野（今属山东巨野县）人，北宋时期著名文学家。

② 张文潜：张耒（1054—1114），字文潜，号柯山，人称宛丘先生、张右史，楚州淮阴人，北宋文学家。

③ 秦少游：秦观（1049—1100），字太虚，又字少游，汉族，北宋高邮（今江苏省高邮市）人，与黄庭、晁补之、张耒合称"苏门四学士"，别号邗沟居士、淮海居士，世称淮海先生。被尊为婉约派一代词宗。

④ 米元章：米芾（1051—1107），北宋书法家、画家。善诗，工书法，精鉴别。擅篆、隶、楷、行、草等书体，长于临摹古人书法，达到乱真程度。宋四家之一。

⑤ 王仲志：王钦臣（约1034—约1101），北宋藏书家、图书馆官员。字仲至，应天宋城（今河南商丘）人。

⑥ 刘巨济：刘泾（1043？—1100？），字巨济，号前溪，简州阳安（今四川简阳）人。米芾、苏轼之书画友。善作林石槎竹，笔墨狂逸，体制拔俗。亦工墨竹。

苏州园林甲于天下

倘若提起中国的古典园林，人们往往最先联想起的，便是"苏州园林"。那些小桥流水、亭台楼榭、扶疏花木，带有江南水乡特有风光的景致，成为了中国园林最具特色的标志。苏州园林以其成熟的造园技术、鲜明的艺术风格、深远的造园理念，成为了中国古典园林的典范和代表，写下了中国园林文化中最为浓墨重彩的一笔。

苏州园林起始于公元前6世纪春秋时期吴国建都姑苏之时，最早的园林为吴王的园囿，私家园林最早见于记载的是东晋时期的辟疆园。它在五代形成规模，成熟于宋代，最终在明清时期达到鼎盛，从而奠定了它在中国古典园林史上代表性的地位。明清时期，宰相制的废除，使得皇权的集中达到了顶峰，封建秩序与礼法制度的要求更为严格，文字狱的大肆兴起，试图全面控制和束缚知识分子的思想。整个社会的政治氛围愈发压抑，宋时相对宽松的文化政策已不复存在。而与此同时，明中叶以后资本主义萌芽的出现和成长，市民文化的勃兴，又引发了人们要求个性解放的潮流。在这种矛盾冲突之下，知识界出现了一股人本主义的浪漫思潮，文人士大夫们由于政治上的苦闷与人性上的压抑，摆脱礼教束缚、寻求个性解放的愿望愈加强烈。他们开始追求享乐，在对现世幸福生活的经营中达到实现自我的目的。这种思想在同时期的小说、戏曲以及其他俗文学上均有所体现，园林艺术亦不外于此。知识分子较之前代投入了更多的心血在园林的营造和享受上，使得园林艺术向着更加专业化、精致化的方向迈进。

　　明清时期,全国范围内的造园活动都十分活跃,而在经济、文化发达的江南地区,民间私家园林的数量更是居于全国之首,故而,对于造园艺术和技术的要求也越发提高。过去的造园工匠与文人合作,由文人提出造园立意,再由工匠的实际操作来实现。随着造园活动的频繁与发展,越来越多掌握造园技艺,并具有文化素养的园林工艺师应运而生。他们在园主人与一般工匠之间架起了一座沟通的桥梁,大大提高了造园的效率,有些擅长于诗文绘画的工艺大师甚至能够代替文人来全面主持园林的规划设计。社会价值观念的改变,提高了这些艺匠的社会地位,文人们也十分愿意与之交往,甚至为之撰写传记。如江南名士钱谦益、吴伟业与工匠张南垣为布衣之交,文人陈所蕴为工匠张南阳作传等事,均可见一斑。此外,文人与工匠的结合,促使了造园技艺向理论性和系统化发展,从而出现了许多有关园林建造的理论著作,其中比较全面而具代表性的有计成的《园冶》、李渔的《闲情偶寄》、文震亨的《长物志》。这些著作整体或部分地对私家园林的规划、设计、施工以及局部、细节处理等方面进行论述,将古代造园活动中积累下来的大量实践经验转化为系统而明晰的理论知识,既对当时的造园起到了一定的指导作用,又为后世留下了宝贵的园林艺术文化财富。

　　苏州是江南地区最为繁华的消费城市之一,悠久的历史又为其打下了深厚的文化基础。苏州的文风特盛,历来是文化精英出产聚集的胜地,走仕途、为官宦的人很多。当他们致仕还乡之时,便往往会购置田宅,营建园林,自得其乐。许多外地的官宦、地主也喜欢来到苏州定居。这些园主人大多是具有较高文化涵养的文人,这使得苏州园林带有了一种特殊的"书卷气",呈现出雅逸的气质,通过对建筑、山水、花木的巧妙安排，显示出深厚的文化积淀、高雅的艺术格调，蕴含着文人特有的情怀、哲思与理想。

苏州城内河道纵横，取水方便，故而园林内大多以水体为主。附近的洞庭西山是著名的太湖石产地，尧峰山出产上品的黄石，叠石取材也很方便，园林内的大型假山石多于土，小型假山则几乎全部叠石而成。当地气候温和湿润，适合各种花木生长，园中植物以落叶树为主，配合若干常绿树，再辅以藤萝、竹、芭蕉、草花等，并充分利用花木生长的季节性构成四季不同的景色。园内的建筑则以玲珑轻盈的形象为主，室内空间通透，露明木构件一般髹饰为赭黑色，灰砖青瓦、白粉墙垣配以水石花木，恬淡雅致，带有水墨画般的艺术格调。苏州园林最具特色之处，便是在有限的空间中完美再现外部世界的空间和结构，并利用借景、对景、框景、分景、隔景等多种手段，使园林景致曲折多变、小中见大、虚实相间。正如叶圣陶在《苏州园林》一文中所写："设计者和匠师们一致追求的是：务必使游览者无论站在哪个点上，眼前总是一幅完美的图画。为了达到这个目的，他们讲究亭台轩榭的布局，讲究假山池沼的配合，讲究花草树木的映衬，讲究近景远景的层次。总之，一切都要为构成完美的图画而存在。"正是这样的讲究，才使苏州园林不管是静观或是动观，都有着"如在图画中"的美感。

苏州园林经历代经营，数度兴衰，到清末时已有各色园林 170 多处，保存完整的有 60 多处，其中宅园占总数的十分之九以上，绝大多数集中在城内，尤以最为繁华和交通便利的城西北部的观前与阊门之间为最多，观前与东北街之间次之，城东南部又次之。许多名园如沧浪亭、狮子林、拙政园、留园等，均屡易其主，经多次复修、改建、扩建，而今呈现在人们眼前的已不复当年面貌。1997 年，苏州古典园林作为中国园林的代表被列入《世界遗产名录》,并成为第一批全国文明风景旅游区示范点,被盛誉为"咫尺之内再造乾坤"。其中网狮园、狮子林、拙政园、留园统称"苏州四大名园",素有"江南园林甲天下,苏州园林甲江南"之誉。

拙政园位于苏州娄门内之东北街,始建于明正德初年,距今已有五百多年历史,是苏州现存的最大的古典园林,与北京颐和园、承德避暑山庄、苏州留园一起被誉为中国四大名园,是江南古典园林的代表作品。其第一任园主为明御史王献臣,因官场失意,致仕返乡,占用原大弘寺址的一块多沼泽的空地营建此园,历时五载而成,取潘岳《闲居赋》中"庶浮云之志,筑室种树,逍遥自得……此亦拙者之为政也"之意,为园命名。著名文人画家文徵明为之撰《王氏拙政园记》,详细描写了园内景致,并绘《拙政园图》传世。据文中记载,早期的拙政园建筑十分稀疏,仅"一楼、一堂、六亭、二轩"而已,且多为茅屋草顶,极具简远、雅致的天然野趣。王献臣死后,其子一夜赌博将园输给他人,此后拙政园便几度易主,历经数次兴衰。极盛之时,园内大兴土木,描龙绘凤,有"十斛珍珠满地倾"的奢丽景象;衰败之时,也曾落得"狐鼠穿屋,藓苔蔽路"的凄清境地。现存的拙政园为1949年后重新修葺,共分西、中、东三部分。东部原称"归田园居",因早已荒芜,全部为新建,布局以平冈远山、松林草坪、竹坞曲水为主,主要建筑有兰雪堂、芙蓉榭、天泉亭、缀云峰等,均为移建。西部为"补园",以水池为中心,主要建筑为靠近住宅一侧的三十六鸳鸯馆,是当时园主人宴请宾客和听曲的场所。另一主要建筑"与谁同坐轩"乃为扇亭,取苏轼"与谁同坐?明月,清风,我"的词意,是园内最佳观景场所,凭栏可环眺三面之景。中部是全园的主体和精华所在,其主景区以大水池为中心,亭台楼阁皆临水而建,形体不一、高低错落,极具江南水乡特色。主体建筑物"远香堂"位于水池南岸,周围环境开阔,在堂内可观四面之景,池内遍植绿荷,夏时荷香远溢,故取周敦颐《爱莲说》"香远益清"之意为名。它与西山上的"雪香云蔚亭"隔水互成对景,构成园林中部的南北中轴线。此外,又有"倚玉轩"、"香洲"、"荷风四面亭"三足鼎立,水阁"小沧浪"与廊桥"小飞虹"南北呼应。拙政园以水见长,庭院错落,又"林木绝胜",如远香堂的荷、倚玉轩的竹、听雨轩的芭蕉、雪香云蔚亭的梅、听松风处的松、海棠春坞的海棠等等,很好地保持了以植物景观取胜的传统。

狮子林

狮子林位于苏州城东北角的园林路,初建于元代至正二年(1342),元末名僧天如禅师惟则的弟子相率出资,买地结屋,供其师居住。因园内"林有竹万,竹下多怪石,状如狻猊(狮子)者",又因天如禅师惟则得法于浙江天目山狮子岩普

乾隆御笔

应国师中峰，为纪念佛徒衣钵、师承关系，取佛经中狮子座之意，故名"师子林"、"狮子林"，初时是一座融合了传统造园手法与佛教思想的寺庙园林。狮子林既有苏州古典园林亭、台、楼、阁、厅、堂、轩、廊的人文景观，更以湖山奇石、洞壑深邃而闻名于世，被誉为"假山王国"。洞顶奇峰怪石林立，均似狮子起舞之状，有含晖、吐月、玄玉、昂霞等名峰，而以狮子峰为诸峰之首。狮子林假山群是中国古典园林中堆山最曲折、最复杂的实例之一，山体分上、中、下三层，有山洞21个，曲径9条。游人沿着曲径磴道上下于岭、峰、谷、坳之间，或穿洞，或过桥，或登顶，或下谷，左拐右绕，如入迷宫。清代文人朱炳靖在游过假山后写道："对面石势阻，回头路忽通。如穿几曲珠，旋绕势嵌空。如逢《八阵图》，变化形无穷。故路忘出入，新术迷西东。同游偶分散，音闻人不逢。"个中滋味，非亲临不可体会。妙趣横生的狮子林深受乾隆皇帝的喜爱，他曾先后六次到此游览,并留下了大量的题字与御制诗。其中"真趣亭"一名的由来还有个有趣的传说:当年乾隆在游览过狮子林后一时兴起,挥毫题下"真有趣"三字,作为向导的园主黄熙在一旁看了觉得略显俗气,有损皇威,又不好当面提醒,便说:"万岁御笔千金,微臣一贫如洗,叩请皇上把中间的'有'字赏给奴才吧!"乾隆此时也明白了其意,便顺水推舟地把"有"字赏给了他,留下"真趣"二字。乾隆走后,黄熙在此筑造亭阁,便将"真趣"二字作为亭名。乾隆回京之后还在颐和园与避暑山庄仿此地各修建了一座狮子林,足见他的喜爱与留恋之情。

原典选读

向居西子湖滨，欲购湖舫一只，事事犹人，不求稍异，止以窗格异之。人询其法，予曰：四面皆实，独虚其中，而为"便面"①之形。实者用板，蒙以灰布，勿露一隙之光；虚者用木作框，上下皆曲，而直其两旁，所谓"便面"是也。纯露空明，勿使有纤毫障翳。是船之左右，止有二便面，便面之外，无他物矣。

坐于其中，则两岸之湖光山色、寺观浮屠②、云烟竹树，以及往来之樵人牧竖③、醉翁游女，连人带马尽入便面之中，作我天然图画。……

……

予又尝作观山虚牖，名"尺幅窗"，又名"无心画"，姑妄言之。浮白轩中，后有小山一座，高不逾丈，宽止及寻④，而其中则有丹崖碧水，茂林修竹，鸣禽响瀑，茅屋板桥，凡山居所有之物，无一不备。盖因善塑者肖予一像，神气宛然，又因予号笠翁，顾名思义，而为把钓之形。予思既执纶竿，必当坐之矶上，有石不可无水，有水不可无山，有山有水，不可无笠翁息钓归休之地，遂营此窟以居之。是此山原为像设，初无意于为窗也。

后见其物小而蕴大，有"须弥芥子"⑤之义，尽日坐观，不忍阖牖，乃瞿然⑥曰："是山也，而可以作画；是画也，而可以为

---

① 便面：扇面。
② 浮屠：古人称佛教徒为浮屠，称佛教为浮屠道，后亦称佛塔为浮屠。
③ 牧竖：牧童。竖：竖子，儿童，少年。
④ 寻：古代八尺为一寻。
⑤ 须弥芥子：佛教语。意思是把至大的须弥山纳于至小的芥子之内。
⑥ 瞿然：惊奇的样子。

窗。不过损予一日杖头钱①为装潢之具耳。"遂命童子裁纸数幅,以为画之头尾,乃左右镶边。头尾贴于窗之上下,镶边贴于两旁,俨然堂画一幅,而但虚其中。非虚其中,欲以屋后之山代之也。坐而观之,则窗非窗也,画也;山非屋后之山,即画上之山也。不觉狂笑失声。妻孥②群至,又复笑予所笑。而"无心画"、"尺幅窗"之制,从此始矣。

——《闲情偶寄》卷四《窗栏第二·取景在借》

---

① 杖头钱:买酒的小钱。
② 妻孥:妻子儿女。

晚明的秦淮河畔

"烟笼寒水月笼沙,夜泊秦淮近酒家。商女不知亡国恨,隔江犹唱后庭花。"这是晚唐诗人杜牧在夜泊秦淮时所写下的诗句。那时的唐王朝国势衰微,山河破碎,而秦淮两岸的达官贵人们却依旧过着奢靡堕落、纵情声色的日子。六朝金粉遗事的沉淀,使得秦淮河畔成为长盛不衰的烟月风花之地,不管外界的局势如何演变,此处却总是充满着文酒声妓,升平歌舞。秦淮河水滋养出的佳人丽姝,争妍斗艳,各占胜场,秦淮河畔,是古时中国男人心目中最具有梦幻色彩的绮靡温柔之乡。而其盛名之最,当属晚明。

明初定都南京,朝廷在京城内外开设妓院,并委派专人管理,属于官营妓院。其等级较为森严,有专为商贾市民服务的富乐院,禁文武官吏及舍人;也有为缙绅士大夫侍宴陪酒的十六楼,其名曰南市、北市、鹤鸣、醉仙、轻烟、淡粉、翠柳、梅妍、讴歌、鼓腹、来宾、重译、集贤、乐民、清江、石城。这两种官营妓院彼此之间不得混淆。到了宣德三年(1428),因官僚士大夫过度争奢宴乐,沉迷声妓,以致废弛朝政,宣宗下令禁止官吏狎妓宿娼,两京教坊的官妓遂渐次凋零,到了万历年间,曾经喧阗一时的十六楼除南市尚存,其余的都化为了"废井荒池"。但这并不意味着明代的妓业从此便一蹶不振,因为受到抑制的只是两京教坊的官妓,而民间的青楼及地方的乐户却逐步发展壮大起来。明中叶以后,随着城市工商业的发展,资本主义萌芽的出现,市民文化的勃兴,南北方出现了许多商业重镇,各地商人聚集于此进行贸易往来,闲暇之余,对声妓的消费需求也越发扩大。各地的青楼业遂轰轰烈烈地发展起来,至万历年间,已是"娼妓布满天下,其大都会之地动以千百计,其他穷州僻邑,在在有之"。江浙一带自古便是佳丽荟萃之地,其发达的经济、文化基础,使得此地的青楼业为他地所不能及。南京为六朝古都,自明初设富乐院于乾道桥,直至明亡,笙歌妓乐始终不衰。此外,如苏州、杭州、扬州等地,也是秦楼萃集,楚馆极盛。故而,广义上的秦淮风月,其范围除南京地区外,其他江南地区妓业发达之地都可以包含在内。

明初对妓女乐户约束很严,对他们的服饰行止都有特殊的规定:男子必须戴绿头巾,腰系红搭膊,脚穿带毛猪皮靴,不许在街道当中行走。妓女要戴黑色的皂冠,身穿大坎肩一样的皂褙子,出入都不许穿华丽衣服。从法律上予以歧视,让她们时时刻刻意识到自己是贱民。但从成化、弘治以后,这种制度渐渐成了一纸空文。朝野上下,竞相追求奇装异服,而得风气之先的,又总是青楼或商家。嘉靖、隆庆以后,整个社会奢靡淫纵,攀比娼妓的风气更为炽热。秦淮妓女们的服饰式样成为了各地竞相模仿的风尚,她们盛妆艳服,光彩动人,衣衫的长短、袖子的大小,随时变易,被当时人称作"时世妆"。

晚明的秦淮河畔,名妓辈出,尽态极妍,各擅风情。她们不仅姿容秀美,而且极富才情,并具有鲜明的个性,绝不是单纯用色相伺候人。其中最为人称道的,要属著名的"秦淮八艳":马湘兰、柳如是、顾媚、卞玉京、董小宛、李香君、寇白门、陈圆圆。明朝遗老余怀的《板桥杂记》,分别记录了马湘兰、顾媚、卞玉京、董小宛、李香君、寇白门六个人,后人又加入柳如是、陈圆圆而成为"秦淮八艳"。这八位名妓,都是才貌双绝的一时之选,她们艳压群芳,蕙质兰心,通诗画,善舞乐,与当时的名流雅士交往密切,谱写出许多佳话。她们各有特质,人生经历十分传奇,于最风光鼎盛之时,在秦淮历史上留下自己风华绝代的身影。

马湘兰,名守真,字月娇,善画兰花,是以"湘兰"之名独擅。她生于金陵,自幼沦落风尘,容貌虽不出众——"姿首如常人",但气质高逸,谈吐优雅,善解人意。为人豪侠尚义,挥金如土,所交往的都是一时名士。当时来逛青楼的,都以不认识马湘兰为耻辱。在新旧更替迅速的风月场中,她能够独领风骚数十年不衰。她与江南才子王稚登情谊很深,两人几度离合,却始终未能成就婚姻之好。在王稚登七十大寿之时,马湘兰集资雇船,载着几十名歌妓前往苏州置酒祝寿,"宴饮累月,歌舞达旦",返回后一病不起,最后勉强支撑着沐浴拜佛,端坐而逝,终年57岁。

柳如是,本名杨爱,后来改姓柳,字如是,号河东君。她小时候只是苏州盛泽镇一位名妓徐佛的丫鬟,但她聪明过人,善于读书。十四五岁时,已经"丰神秀媚,意态幽娴",而且聪慧机警,富有胆略,俏利豪宕,被誉为"巾帼须眉"。柳如是以才情闻名,知书史,善诗律,喜穿男装,常自称为"弟"。初嫁大学士周道登为妾,周死后重归欢场,与松江名士陈子龙相爱,但陈子龙的元配不能相容,只好黯然离去。因看尽世态炎凉,养成了刚烈决绝的个性。后归文坛领袖钱谦益,两人情投意合,偕游东山。明清改朝换代,柳如是力劝钱谦益共同殉国,钱不肯。后来钱谦益北上降清,柳如是则独留南京不往。半年后钱谦益称病辞官,并积极投身于反清复明事业,柳如是在一旁给予了高度支持。钱谦益去世后,柳如是为族人所逼,为保护钱谦益家产,自缢身亡。柳如是兼有才女、侠女、美女的气质,她的诗词水平丝毫不输于当时的文士,书法绘画也有很深的造诣,她经常扁舟一叶,游弋在江南的湖山之间，结交士大夫，谈诗论艺，品评古人。她是差不多四百年前的一个才华盖世、特立独行的风尘奇女。国学大师陈寅恪在双目失明的晚年，写了他平生最大的一本书——80万字的《柳如是别传》，对这位另类女子的身世经历做出了详尽的考查，并寄寓了深沉的同情与感慨。

顾媚，又名眉，字眉生，后称横波夫人。通文史，晓音律，善画兰，又能登场演剧，被评价为"追步马守真（湘兰）而姿容胜之"，时人推为南曲第一。居处"眉楼"，是风流名士云集的风雅之地，就连她家厨房烹制的菜肴，都十分的有名，被称作"郇公厨"。当时的文士都以能够进入眉楼为荣。顾媚为人世故圆融，心智成熟，懂得失，知进退，善经营。后来嫁给了投降清朝、任礼部尚书的合肥龚鼎孳为妾，受清廷敕封"一品诰命夫人"。据说她死时的遗容居然现出了老僧的相，可算为秦淮八艳中归宿最好的一位。

卞玉京，本名卞赛，一名赛赛。后来出家作了女道士，自号玉京道人，字云装。本来出身官宦人家，后因父亲早亡，家道中落，和妹妹卞敏一同沦为歌妓。卞玉京懂书法工小楷，善于画兰鼓琴，好作小诗。她的警慧，令当时的文士也甘拜下风。为人外冷内热，初次见客时不怎么酬对，但如果遇到佳宾，便开朗起来，谐谑间作，谈词如云，令满座倾倒。她与著名诗人吴伟业有过一段深挚的情缘，但吴伟业因名声与前途的顾虑，未能给予她嫁娶之约。后来卞玉京嫁给一位王侯，因为不得意，便出家入道。顺治七年（1650），卞、吴两人重逢，卞玉京为吴伟业操琴作别，吴深受感动，写了《听女道士卞玉京弹琴歌》，后两人各自星散，再未相见。卞玉京晚年依附于名医郑保御，长斋绣佛，严格遵守佛教戒律，曾经刺舌血写了一部《法华经》。后来凄然而逝，葬在无锡惠山的祇陀庵锦树林。

　　董小宛，名白，字小宛，一字青莲。生于苏州，本来家境殷实，后因父早亡，家中生意经营不善，债台高筑，被迫沦落风尘。因为容貌秀美，气质脱俗，很快在欢场中名声鹊起。她生性喜爱闲静，独自幽居在山水秀丽之处，经过她居处的人，常常能够听到她吟咏诗文或抚琴之声。她素雅娴静的气质吸引了很多文人雅士，经常被邀请共同游览湖山。后来结识"四公子"之一的冒辟疆，为之倾心，数度主动追求，最终如愿嫁给冒辟疆为妾。董小宛天资巧慧，被誉为乐籍奇才，且懂得生活艺术，除诗词歌赋以外，女红、食谱、茶经等也极其精通，更有"江南第一名厨"之称，她发明的"董糖"、"董肉"流传至今。董小宛婚后与冒家上下相处和谐，受到全家的喜爱。明末战乱举家南逃，董小宛细心操持全家上下的大小事务，冒辟疆身患重病，她衣不解带殷勤服侍。最终因体质虚弱，过度劳瘁而逝。

　　李香君，又名李香，因为孔尚任的《桃花扇》而闻名于世。她身躯娇小，肤如白玉，人称"香扇坠"。为人聪慧而富有侠气，调笑无双，略知书，能够辨别士大夫是否贤良。13岁时跟从吴地的曲师周如松学习汤显祖的"玉茗堂四梦"，又善弹琵琶，却不肯轻易展示。与复社名士、明末四公子之一的侯方域感情深厚，具有独到的政治眼光与凛然的爱国气节，因不愿依附奸佞，有"却奁"、"血溅桃花扇"等壮举，成就千古传奇。她后来不知所终。

　　寇白门，名湄，字白门，金陵人，出身于世代娼门。其人娟娟静美，跌宕风流，能度曲，善画兰，懂得韵律，能吟诗。17岁脱籍从良，嫁与功臣保国公朱国弼为妾。清军入关后，朱国弼降清，全家进入北京，又被清廷软禁。朱国弼本来打算将包括寇白门在内的姬妾全部卖掉以赎性命，白门却说："若卖妾所得不过数百金。若使妾南归，一月之间当得万金以报公。"就穿着短衣骑马，带着婢女连夜赶到金陵，凭借自身人脉，果然筹措了两万两黄金，救得朱氏脱身。事后寇白门心灰意冷，与朱国弼分道扬镳，重返欢场。因为她的义举，被人称为"女侠"。回到金陵后，她"筑园亭，结宾客，日与文人骚客相往还，酒酣耳热，或歌或哭，亦自叹美人之迟暮，嗟红豆之飘零"。

她晚年恋慕一名年轻文人韩生，某日欲拉韩生共寝，韩生却数度推脱而去。寇白门怏然不乐的时候，听见韩生和婢女嬉笑之声。白门怒极，棒打婢女数十下，痛骂韩生"衣冠禽兽"。后一病不起，郁郁而终。

陈圆圆，名沅，字圆圆，又字畹芬，是在吴地梨园中唱戏的名演员，人聪明，气质好，色艺双绝，名动江左，冒襄赞美她"声甲天下之声，色甲天下之色"。每一登场，样子勾人魂魄，几乎可以让观众疯狂。陈圆圆曾经和冒辟疆交好，并和冒订下后会之约，冒一见她，当时忘了董小宛，打算娶她做妾。后来冒辟疆因为战乱要救他父亲失约，而陈圆圆则被崇祯皇帝的舅舅田弘遇抢夺入京，冒辟疆才不得已求其次娶了董小宛。田弘遇为讨好手握重兵的吴三桂，便将陈圆圆相赠，吴三桂对圆圆非常满意。据传，在李自成攻占北京之后，陈圆圆为其部将刘宗敏所夺，领兵在外的吴三桂闻讯，"冲冠一怒为红颜"，引清军入关，灭了大明朝。中国的男人很早就发明了"女人祸水论"，夏、商、周三代都是因为女人亡了国，夏是妹喜、商是妲己、周是褒姒，汉成帝是毁在赵飞燕、赵合德姊妹身上，唐朝的衰败是因为玄宗宠幸杨玉环，总之是女人的错，所谓"倾国倾城"。当然西方也有类似的情况，比如著名的希腊特洛伊战争，荷马史诗就描述了希腊联军与特洛伊两方争夺美女海伦的历史，但似乎总不如中国"祸水论"一以贯之，这种文化是需要我们认真反思的。陈圆圆与吴三桂重聚后，便常年随之征战。后吴三桂平定云南，受封平西王，陈圆圆进入王府，独宠一时。晚年因不满吴三桂穷奢极欲，追逐声色，便辞宫入道，寂静终老。

秦淮名妓的盛名，除自身才貌出众之外，也与当时名流文士的推奖浸润，以及晚明动荡不安的社会局势有很大关系。明中叶以后的江南地区，名士缙绅们均以流连风月、陶情花柳相矜诩。南京贡院与旧院仅一水之隔，四方士子参加南京乡试，多结驷连骑、选色征歌，在文战之外，将自己的满腹才学和款款衷情洒向了欢场。复社、几社的文酒之会，也都有大量的妓女参与。妓女们在与之交往过程中，耳濡目染，习名士之所习，投名士之所好，故而多能诗善画，气质高雅。而她们的名气又因名士的赞誉嘉奖而愈发壮大。在当时有名的秦淮妓女基本都与数位知名文士交好，她们的爱情故事也都与这些人紧密相关。妓女因职业原因，能够比良家女子更多地接触外界的人事，故而在晚明江山板荡、内忧外患之际，她们便有更多的机会近距离接触家国大事，比其他时代的女子更多了一份政治眼光。相应地，在如此动荡不安的时代，她们也经历了比常人更多的颠沛流离、坎坷曲折。

当时的思想家傅山曾说过："名妓失路，与名士落魄，赍志没齿无异也。"正是这样一种"同是天涯沦落人"的惺惺相惜之感，让名士与名妓之间产生了一种互为知音的感情。在礼教森严、女性地位卑下的时代，名妓们因其兰心蕙质与特殊身份，往往能够获得更多的自由空间，她们濡沐词章，吟赏山水，一定程度上可以根据自己的意愿自由地选择伴侣，也可以无拘无束地从事文学艺术活动。这说得上是一种人性的舒张，是主体人格的部分实现。而党社名流对名妓也有相当的尊重与认同。他们允许名妓以平等的人格参与集会。名妓遭厄，士流亦纷纷慷慨相助，如刘履丁自献人参数斛助董小宛偿债，钱谦益亲至半塘，为之区画脱籍，并送之前往其爱人冒襄的居所。又如陈梁之致书劝顾媚从良，余怀之檄文代眉楼解讼，均足见一时风尚。名流对妓女的爱敬，不仅是对其色艺的迷恋，也出于对她们人品、性情的欣赏，这是一种接近于现代意义上的男女文化。而在最具有实质意义的婚姻方面，也体现出了士流对妓女看待方式的一些转变。晚明时期士人与声妓的关系，与唐代较为类似，然唐代门阀士族婚姻观较盛，妓女与士人的婚姻成功率很低，即使求为其妾亦不可得。而到了晚明时期，士人将妓女娶回家为妻妾的现象已十分普遍了。虽然大部分仍是为人妾室，但由于婚前的交往与恋爱基础，使得他们的婚姻也颇具幸福色彩。顾媚嫁于龚鼎孳，备受宠爱，最终以侧室之身受封"一品诰命夫人"，荣华终生。董小宛嫁冒襄为妾，九年恩爱中，冒襄再未娶过他人。最富传奇色彩的则是柳如是，当时的诗坛领袖钱谦益竟以"正妻"之名、"匹嫡"之礼，将其迎娶回家中作正房夫人。据《牧斋遗事》中载，娶亲当日，"琴川绅士沸焉腾议，至有轻薄子掷砖彩鹢、投砾香车者。牧翁吮毫濡墨，笑对镜台，赋催妆诗自若"，这种极具画面感的描述，以及冲破礼法、惊世骇俗的爱情，而今读之，依旧令人动容。

然而，纵使秦淮名妓们拥有美貌、才华、金钱、名声乃至爱情，并部分地拥有自主的人格、名流文士的尊重，却始终无法真正摆脱风尘身份的束缚。士人虽怜之敬之，但骨子里对妓女的轻视却难以摆脱，无法真正对其平等相待。一旦与自己的功名、名声、家庭相冲突，首当其冲被放弃的，就是与妓女们的爱情，这对于大部分士人来讲，只不过是生命的一段点缀，而妓女们却在其身上寄托了终生的盼望，故而，彼此的交往从开始就是不对等的。除个别之外，秦淮妓女的结局大多十分凄凉。马湘兰爱慕王稚登三十余年，最终对方亦未有意迎娶她;吴梅村因名声之虑,拒绝迎娶卞玉京,最终令其伤心入道;寇白门老来重操旧业,因情人与侍女的背叛而悲愤病死。而其他名妓,即便从良为人妾室者,亦因身份而饱受家庭成员歧视。若境遇较不幸者,或嫁作商人妇,或为匪人所劫,或老病而死,或不知所终。人们能够记住的,往往只是她们当年的无限风光,这亦是历代妓女的悲剧。

原典选读

妇人读书习字，所难只在入门。入门之后，其聪明必过于男子，以男子念纷，而妇人心一故也。导之入门，贵在情窦未开之际，开则志念稍分，不似从前之专一。然买姬置妾，多在三五、二八之年①，娶而不御，使作蒙童求我者，宁有几人？如必俟情窦未开，是终身无可授之人矣。惟在循循善诱，勿阻其机，"扑作教刑"②一语，非为女徒而设也。先令识字，字识而后教之以书。识字不贵多，每日仅可数字，取其笔画最少，眼前易见者训之。由易而难，由少而多，日积月累，则一年半载以后，不令读书而自解寻章觅句矣。乘其爱看之时，急觅传奇之有情节、小说之无破绽者，听其翻阅，则书非书也，不怒不威而引人登堂入室③之明师也。其故维何？以传奇、小说所载之言，尽是常谈俗语，妇人阅之，若逢故物。譬如一句之中，共有十字，此女已识者七，未识者三，顺口念去，自然不差。是因已识之七字，可悟未识之三字，则此三字也者，非我教之，传奇、小说教之也。由此而机锋相触，自能曲喻旁通。再得男子善为开导，使之由浅而深，则共枕论文，较之登坛讲艺，其为时雨之化，难易奚止十倍哉？十人之中，拔其一二最聪慧者，日与谈诗，使之渐通声律，但有说话铿锵，无重复聱牙之字者，即作诗能文之料也。苏夫人说："春夜月胜于秋夜月，秋夜月令人惨凄，春夜月令人和悦。"此非作诗，随口所说之话也。东坡因其出口合律，许以能诗，传为佳话。此即说话铿锵，无重复聱牙，可以作诗之明验也。其余女子，

---

① 三五、二八之年：指十五岁、十六岁。
② 扑作教刑：语出《尚书·舜典》。扑：一种刑杖，作为责罚学生的教刑。
③ 登堂入室：登上厅堂，进入内室。比喻学问或技能从浅到深，达到很高的水平。

未必人人若是，但能书义稍通，则任学诸般技艺，皆是锁钥到手，不忧阻隔之人矣。

妇人读书习字，无论学成之后受益无穷，即其初学之时，先有裨于观者：只须案摊书本，手捏柔毫，坐于绿窗翠箔之下，便是一幅画图。班姬续史之容，谢庭咏雪之态，不过如是，何必睹其题咏，较其工拙，而后有闺秀同房之乐哉？噫，此等画图，人间不少，无奈身处其地，皆作寻常事物观，殊可惜耳。……

——《闲情偶寄》卷三《声容部·习技第四·文艺》

饮馔烹饪:由滋味而趣味

　　食以充饥,饮以去渴,吃喝原是维生头一件大事。初民之饮食,想来求果腹而已,未及其余。可是方于披毛戴角之辈,也知趋甘避苦,何况人属呢? 大概味觉本是自然赋予万灵自择去取以全生机的天分,如果把果腹认作是在所不免的先天大欲,那么满足味蕾一定是人类饮馔不断发展的根本动力。"食色性也",既是性命攸关,当为性灵所系。本章所讲,即全凭舌吻为线索,饱览古人情致逸趣。

饮馔烹饪:由滋味而趣味

食以充饥,饮以去渴,吃喝原是维生头一件大事。初民之饮食,想来求果腹而已,未及其余。可是方于披毛戴角之辈,也知趋甘避苦,何况人属呢？大概味觉本是自然赋予万灵自择去取以全生机的天分,如果把果腹认作是在所不免的先天大欲,那么满足味蕾一定是人类饮馔不断发展的根本动力。"食色性也",既是性命攸关,当为性灵所系。本章所讲,即全凭舌吻为线索,饱览古人情致逸趣。

中国饮食的文化蕴涵

　　饮食在人类的童年，只有一个用处——果腹，就是吃饱肚子，维持生存的最基本需要。生存需要满足以后，就会逐渐上升到文化、审美的层面，世界各民族概莫能外。而由于地域环境、风俗习惯的不同，世界各民族也逐渐形成了各具特色的饮食文化。中国五千年厚重的文明史，培育了博大精深、璀璨夺目的饮食文化。与西方文艺复兴以后崇尚科学主义，以致强调食物的营养成分而忽视滋味不同，中国烹饪讲究的是味，具有中国哲学重宏观、整体、辩证的特点。中国菜的原料可以是一种，可以是多种，还可以是西方烹饪的弃物，如动物的内脏——肝、肚、肺、肠乃至头、蹄、爪、血，皆可烹制出美味的菜肴；可以是手续极为繁复，用料十分讲究，需要数日烹煨才成的"佛跳墙"，也可以是旺火烹油，生鲜撮入，点化盐豉,翻覆即成的"芫爆散丹"、"麻婆豆腐"。中国饮食,追求的是色、香、味、形、器的整体和谐和表里兼顾、水火相济的美味。

中国古代尤其是儒家的治国理念中,有一个独特的角度——"养"。这基于"民以食为天"的人本主义思想。将近两千年前问世的《黄帝内经·素问篇》就提出了"五谷为养,五果为助,五畜为益,五菜为充"的养生理念。所谓"五谷",东汉赵歧注《孟子·滕文公上》说指"稻、黍、稷、麦、菽"。也有不同的说法,但总是经过耕种,从土地所获得的谷物,是中国人的主食。"五果"指"桃、李、杏、栗、枣",分别代表辛、酸、苦、咸、甘五味,是增进国人体质的重要辅助食品。"五畜"为"牛、羊、豕、鸡、犬",是富含蛋白质与脂肪,有益身体机能健康的重要食材。不过在畜牧业不发达的上古时期,只有王公贵族才吃得上肉,《孟子·梁惠王章句上》说:"鸡豚狗彘之畜无失其时,七十者可以食肉矣。"也就是说,畜养猪、狗、鸡,要不违反自然的节序,70 岁的老人才能吃上肉。可那时能活到70 岁的人实在太少了,平民百姓是很难吃到肉的。"五菜"指的是"葵、韭、藿、薤、葱",实际是泛指蔬菜,可补充人体所需的多种维生素及矿物质。凡此种种,都体现出一种生存观念,就是顺应自然,天人合一。一切食物的取径都要遵循大自然的规律,春播夏芸,秋收冬藏,不可失时,不能逾度。

孔子讲"食不厌精,脍不厌细"、"割不正不食"(《论语·乡党篇》)。孟子说"君子远庖厨"(《孟子·梁惠王上》)。有人说孔夫子穷奢极侈,说孟子虚伪,其实是曲解了。两位夫子的话实际强调的都是对于食物的敬畏之情和君子所应秉持的礼。距今三千年前的商周时期已经建立了完备的礼制社会,所谓礼,有两层含义:一是指仪式,大到祭祀、朝聘,小到男子的成人礼——冠礼,乡里之间的定期聚会——乡饮酒礼,都有繁复的仪式规范。二是指贵族各等级所应遵循的行为规范、道德规范。商周是以血缘亲族统治的宗法制度,礼的作用一方面是维系贵族之间的血缘纽带,另一方面是制约规范社会各阶层的行为义务乃至做人的品格。围绕礼的活动,通常都少不了饮食,无论冠、婚、朝、聘、丧、祭、宾主、乡饮酒、军旅,饮食都是其中重要的环节。后来发掘出来的商周时期的青铜器,大部分是食器、饮器,如鼎、尊、爵、觥、觚、簋、罍、匜等,各有各的用处,各有各的等级。鼎,首先是煮肉煮菜的器皿,其次才是权力的象征。想要推翻一个王朝,叫"问鼎"。而尊和爵都是喝酒的器皿,却又是高贵的意思。从人的最基本需要——吃喝出发来制定礼仪,这种影响力当然就非常大了。

中国幅员辽阔,虽然历朝疆域不同,但大抵可以覆盖黄河、长江、淮河、珠江四大流域,各地的饮食也便因地域出产的不同而呈现不同的风格特色。黄河流域四季分明而雨水偏少,农业发达,故北方以小麦及谷物种植为主,受游牧民族的影响,肉食以牛羊居多。譬如北京的传统吃法——烤肉、涮羊肉,便显然带有蒙古族、满族的痕迹。而山东兼有山海之利,孔府也有近七百年的历史,逐渐形成了醇厚精致的鲁菜,影响遍及京津河北河南。江淮下游地区则水路纵横,土地膏腴,物阜民丰,富可敌国,渐渐形成了淮扬菜、苏菜、浙菜、徽菜等各有特色的食肴体系。珠江横贯湘赣两广,从八个入海口直入南海,植被繁盛,水产丰富,成就了湘菜、粤菜、潮汕菜的丰富多彩。凡此种种,都贯穿着中国人与天地相合,顺应自然的饮食观念。

中国人喜欢用饮食隐喻很多事物,包括政治、哲学、道德、人品、男女、文艺,都可以借助饮食来表述。据说殷商时候的大臣伊尹就曾是一位善烹饪的厨师,他用食物的滋味比拟治国之道,来游说开国之君商汤,使国家达到大治。后来的老子也说过"治大国若烹小鲜",以调和鼎鼐、烹制五味比喻治国便民之道。"莼羹鲈脍"的典故则是关于魏晋风度的形象阐释,《晋书·文苑传》和《世说新语》都有记载,说张翰是吴郡人,在洛阳齐王冏手下做官。有一天,因见秋风起,想起家乡的菰菜、莼羹、鲈鱼脍,诱发了乡愁,于是自言自语道:"人生最可贵的是随心适意,怎么能为了当个官就离乡背井几千里困在这儿呢!"当即辞官回乡了。菰菜、莼羹都是江南水乡的特产,鲈鱼脍则特指用松江四腮鲈鱼细切的生鱼片,味道鲜美。范仲淹的诗"江上往来人,但爱鲈鱼美",说的也是这种鱼。张翰的任情适意、鄙薄利禄的人生态度正是和菰菜、莼羹、鲈脍等美味结合在一起才彰显了人的价值。唐代的司空图则用"味外之旨"比喻好诗的境界。孔子闻韶乐,"三月不知肉味";明初的高启《青丘子歌》有"听音谐韶乐,咀味得大羹"的诗句,则是用美食的滋味比喻听音乐的感受。一个女人长得十分美丽,可以用"秀色可餐"来形容,秀色怎么可以吃呢? 这是只能意会,不能较真儿的。

酒的魅力

　　既然谈饮食，就不能不说酒。中国酒的历史少说也有四千年，不一定是中国人最早发明了酿酒工艺，但中国的酒文化源远流长、博大精深则无可非议。据说大禹的时候已经有了酒，距今大约四千年前。不过禹喝了仪狄造的酒，觉得味美，认为会消磨人的志气，于是不喜欢，而且疏远了仪狄。《诗经·小雅·鹿鸣》篇有"我有旨酒，以燕乐嘉宾之心"的句子，"旨酒"就是美酒，来了客人，要用美酒招待。事实上，礼的各个环节，都贯穿着饮酒、奏乐、歌舞的节目，用来活跃气氛。最尊贵的祭祀先王之礼，用的是玄酒。但玄酒只是水，意思是尊重本来原始，因为上古的时候还没有酒。

　　古人饮酒很讲究礼仪，大家在一起饮酒，要先由最年长的人举杯祭神，然后才可以喝。汉朝的博士之首、隋唐时期直到清末的国立大学（国子监）校长叫祭酒，可见酒的不凡。和年长的人喝酒，长者没举杯，年轻人不许喝。敬酒的时候要有敬辞，比如"祝您寿比南山"之类，一般以三杯为度。宾客最后要一饮而尽。人喝了酒会兴奋，往往载歌载舞，礼的仪式，包括与饮酒配套的各式各样的乐曲、舞蹈、歌唱的规定。我们看《史记》的"鸿门宴"，项羽宴请刘邦，范增指使项庄舞剑，想伺机刺杀沛公。项伯是刘邦的姻亲，要救沛公，也起来舞剑，屡次用身体遮蔽沛公，让项庄下不了手。这说明那时的酒宴都离不开舞蹈，即使是军队在行旅之中。孔子说"惟酒无量，不及乱"。就是酒喝多少都没关系，但不能撒酒疯。像商纣王那样搞"酒池肉林"，古罗马宫廷里那样纵酒淫乱，就离亡国灭身不远了。

中国历史上因为饮酒而传之久远的故事实在不胜枚举。魏晋之交，权力更迭频繁，政治极度黑暗，士人站错了队，往往身败名裂，甚至被杀头。像"建安七子"中的孔融、"竹林七贤"中的嵇康，就都因为性格亢直，为统治者所忌惮，而丢了脑袋。士人们对政治前途彻底失望，于是纷纷拾起老庄哲学，"越名教而任自然"，高谈玄理，佯狂避世，服药求仙，纵酒狂啸。像竹林名士刘伶，身高不足一米六，长得也丑，但很有见识，平时不怎么讲话，只和阮籍、嵇康交朋友。他也不问家里有没有钱，一天到晚只是喝酒。常常驾着一辆鹿拉的车，带一壶酒，叫仆人扛着铁锹跟着，嘱咐说："死便埋我。"他妻子实在受不了他这么喝，把家里的酒都送了人，把酒器都砸了，哭着劝他戒酒。他说："好，我自己管不住自己，必须在鬼神面前发誓，你去准备酒肉祭祀鬼神吧。"等酒肉摆上来，他跪下祝告鬼神："天生刘伶，以酒为名。一饮一斛，五斗解酲。妇人之言，慎不可听。"随即大嚼狂饮，烂醉如泥。这样迹近无赖的行为却让权势者对他放松了警惕，以致得以寿终。刘伶平生只有一篇《酒德颂》传世。

同为竹林名士的阮籍则生得容貌瑰伟，志向不凡。但他清醒地意识到在权力斗争异常残酷的现实中，名士随时可能因言论不当丢掉性命，所以他从不谈政治，也不臧否人物，只是饮酒弹琴、登山长啸。翻白眼儿大概是他发明的，遇到不喜欢的俗人，就翻白眼；遇到知己如嵇康，就落下眼珠，变成青眼了。权倾天下的晋王司马昭想和他联姻，让自己的儿子司马炎（后来晋朝的开国皇帝）娶阮籍的女儿，他竟然喝得酩酊大醉，整整六十天，让人家没机会提这事，只好作罢。他实际是借酒避祸，蓄意躲开权力中心。他听说步兵厨里藏有好酒三百斛，就要求做步兵校尉，结果天天烂醉如泥。不过，即使如此，他还是不得已为司马氏取代曹魏政权的所谓"禅让"丑剧写了《劝进词》。阮籍也因此得以善终。由此可知，魏晋之际的饮酒其实不是真的喜欢酒，而只是一种姿态、一种逃避。

后来的陶渊明，是真的爱酒，酒量也大，不过常常没钱买酒，甚至穷得没鞋穿，只能靠亲友置酒请他来喝。官员颜延之慕他的名，天天到他家饮酒，临走，还留下许多钱。陶渊明把钱都送到酒家，随时取酒来喝。到他家来的人，不分贵贱，只要有酒就一起喝，他要是先醉了，也不管客人的身份，就告诉人家："我醉欲眠卿且去。"他家里有素琴一张，但没有弦，弹不出声音。他每次喝得高兴了，就会抚琴，还说"但识琴中趣，何劳弦上声"。陶渊明是东晋宋初品行高洁、鄙弃荣利的隐士的代表，他的为人、他的诗歌在唐宋时期受到了极大的推崇，影响了李白、杜甫、王维、孟浩然、白居易、柳宗元、苏轼、陆游等无数的诗人。

中国是个诗歌的王国，可是如果将涉及饮酒的篇章剥离出去，那会是多么煞风景的事啊！"对酒当歌，人生几何，譬如朝露，去日苦多。慨当以慷，忧思难忘。何以解忧，唯有杜康。"这是大政治家曹操对生命短暂的终极忧患，如果不看他后面的诗句，会以为曹操和阮籍一样消极。

"李白斗酒诗百篇，长安市上酒家眠。天子呼来不上船，自称臣是酒中仙。"这是杜甫笔下的李白，豪宕超群，才华横溢，学道学仙，飘零一世。他纵酒狂歌，睥睨权贵，是盛唐名士的代表人物。

"花间一壶酒，独酌无相亲。举头望明月，对影成三人。"这是李白《月下独酌》的前四句，诗人月下独自饮酒，月影、身影与自己互相映照，一人变成了三人。孤高岑寂而又天人合一，成为绝妙的画境。

　　"兰陵美酒郁金香,玉碗盛来琥珀光。但使主人能醉客,不知何处是他乡。"诗人一生书剑飘零,广交豪俊。走到哪儿喝到哪儿,这首诗题目是《客中作》,但主人是谁,已经无从考察。只知道碗是玉碗,酒是兰陵美酒,泛着琥珀色的诱人光彩,"不知何处是他乡",乐中却渗透着漂泊之苦。人生苦短,富贵名利转瞬即逝,不如与三五个好朋友痛饮尽欢,长醉不醒。这就是李白赋予汉乐府《将进酒》的新意。"人生得意须尽欢,莫使金樽空对月。天生我材必有用,千金散尽还复来。烹羊宰牛且为乐,会须一饮三百杯。"

　　"葡萄美酒夜光杯,欲饮琵琶马上催。醉卧沙场君莫笑,古来征战几人回。"王翰的这首《凉州词》雄浑悲壮,豪迈洒脱,写将士们出征前的纵情狂饮,"不要嘲笑我们醉卧在沙场,明天的恶战说不定会让我们献出生命"。有边塞诗的豪放,也有生命不永的忧伤,但绝不消沉颓丧,正是典型的盛唐气象。

　　"绿蚁新醅酒,红泥小火炉。晚来天欲雪,能饮一杯无。"这首诗叫《问刘十九》,是白居易一纸短短的邀请函,请刘十九来家饮酒,却用五言诗写出来,充溢着盎然的趣味。宛如一幅画:诗人坐在屋里红泥砌就的小火炉旁,炉子上安放着酒坛,炉火摇曳,坛中家酿的新酒微微泛起泡沫。窗外夜幕降临,阴云密布。诗人正悠闲地等待着客人叩门。画面温馨亲切,令人向往。

　　唐朝是诗的国度,酒则是诗的媒孽。如果说酒为唐诗增光益彩,应该是不会错的。

宋人的饮食文化

　　宋代虽然疆域不广,而且南宋只有江南半壁江山,但两宋文化却达到了中国传统文化的巅峰,在文官制度、技术科学、文学艺术、商业贸易诸领域都有卓越的建树,而体现出高度的古代文明。较之唐代,宋代社会文化有两个鲜明的特征:一是在唐代余威尚存的门阀士族势力被彻底打破,大量的庶族士人经科举进入政府的管理机构,形成良性的用人体制。二是唐代城市的坊厢制被废除,城市经济得到长足发展,大量人口进入城市,形成了丰富多彩的市民文化。宋代的饮食即是在这种前提的交相作用下产生了飞跃式的发展。

　　我们观赏张择端的《清明上河图》,可以领略北宋汴京的城市风貌,感受到市民的丰饶、快乐、忙碌、充实。孟元老的《东京梦华录》记录了北宋都城的宫殿、街市、酒楼、食店、庙会、节庆以及各种民俗娱乐活动。"夜市直至三更尽,才五更又复开张。如要闹去处,通晓不绝。"城里的商人经纪人家,"往往只于市店旋买饮食,不置家蔬"。汴京城里,遍布多家高档酒楼,专供士大夫富人宴客,更有各种各样的勾肆食店茶坊,满足市井百姓的不时之需。饭馆所售的食物,还区分南北,"北食则矾楼前李四家、段家燠物、石逢巴子,南食则寺桥金家、九曲子周家,最为屈指"(《东京梦华录》卷三"马行街铺席")。南宋迁都临安,偏安一隅,荷艳桂香,兼有湖山之胜。朝廷不思进取,自上而下,风气奢靡,饮食之讲究又远远超过了北宋。

　　唐代的饮食较之前代虽有很大的发展,出现了郇国公韦陟与卫国公李德裕那样著名的美食家①,但从有关的记载来看,唐代的菜肴烹饪还远远达不到宋人的技术水平。仅以炒菜为例,唐代基本没有这种烹饪方法的记载。但是宋人的笔记如《东京梦华录》《梦粱录》《武林旧事》《都城纪胜》《西湖老人繁胜录》等等,所记录的炒菜比比皆是,不一而足。如:生炒肺、炒蛤蜊、炒蟹、炒羊(以上《东京梦华录》),炒鳝、腰子假炒肺、炒鸡蕈、炒鸡面、炒鳝面、炒白虾(以上《梦粱录》),炒沙鱼衬汤、鳝鱼炒鲎、炒白腰子、南炒鳝(以上《武林旧事》)。又《东京梦华录》卷九"宰执亲王宗室百官入内上寿"载:"凡御宴至第三盏,方有下酒肉、咸豉、爆肉、双下驼峰角子。"②其中"爆肉",也是将生肉爆炒,与今天的"爆三样"、"芫爆里脊"并无不同。炒的特点在于快,油要烧热,倒入食材,添加作料,掂两下即可出锅。口感鲜嫩爽脆,如同绘画技艺中的泼墨写意,给人以酣畅淋漓之感,又恰好与繁忙的都市生活节奏合拍。

　　宋人的食肴还有很多标示"假"字的名目,如:假河豚、假元鱼、假蛤蜊、假野狐、假炙獐(《东京梦华录》),假江珧、薑醋假公权、假公权煠肚(《武林旧事》),假沙鱼、假团圆燠子、油煠假河豚、杜布假清羹、江鱼假鱐、虾蒸假奶、小鸡假花红清羹、小鸡假炙鸭、五色假料头肚尖、假炙江珧肚尖、假燠鸭、野味假炙、假炙鲎粘、假燠蛤蜊肉、假淳菜腰子、假炒肺、假牛冻、假驴事件、假炙鸭、假羊事件、假煎白肠、煎假乌鱼、假肉馒头(《梦粱录》),夺真鼋鱼(《西湖繁盛录》)。有的全假,有

　　① 　韦陟,字殷卿,唐代开元年间袭封郇国公,官至吏部尚书。性好奢靡,十分讲究饮食,穷极水陆之珍。他家的郇公厨名闻远近。他在王侯将相家吃饭,常常不动筷子,觉得没一样菜对他的胃口。李德裕,字文饶,唐武宗时的宰相,也是大美食家。他食一杯羹,要费钱三万,里面放珠玉、宝贝、雄黄、朱砂等等。后来被贬到海南。

　　② 　孟元老著、伊永文笺注:《东京梦华录》卷九,中华书局,2006 年,第 833 页。

的半真半假。明明有真的食材，却偏要标明是假的。这类看馔色香味形都模仿真物，形味逼真，让人在咀嚼之际感受到一种似真非真、半假半真的趣味，这就表现出一种艺术的魄力，它所揭橥的哲理正与书画戏曲乃至一切中国的传统艺术相通。

宋代的五行八作已经具有了品牌意识和广告功能，凡是酒店食肆，都有招牌，一般都以店主的姓氏加上独擅的食物冠名，如《东京梦华录》记载的：官巷口光家羹、张家酒店、王楼山洞梅花包子、曹婆婆肉饼、李四分茶、鹿家包子、薛家分茶……宋人笔记《枫窗小牍》说：

> 旧京工伎固多奇妙，即烹煮盘案，亦复擅名。如王楼梅花包子、曹婆肉饼、薛家羊饭、梅家鹅鸭、曹家从食、徐家瓠羹、郑家油饼、王家乳酪、段家熝物、不逢巴子，南食之类，皆声称于时。若南迁湖上，鱼羹宋五嫂、羊肉李七儿、奶房王家、血肚羹宋小巴之类，皆当行不数者。

文中提到的"宋五嫂鱼羹"，专门描述南宋都城临安的笔记《都城纪胜》也有记载。本来是北宋东京城里专做鱼羹的一个再平常不过的小食店，却有一段颇不平凡的故事。周密的《武林旧事》记录了南宋淳熙年间，孝宗皇帝乘龙舟游幸西湖，"小舟时有宣唤赐予，如宋五嫂鱼羹，尝经御赏，人所共趋，遂成富媪"。说的是原来在东京城里做鱼羹的宋五嫂，随宋室南渡到杭州，继续做她的鱼羹。那一天正好碰到了皇帝游西湖，传她上了龙舟，尝了她的鱼羹，感觉不错，赏赐了很多东西。宋五嫂因此出了大名，人人来买她的鱼羹，很快就成了富婆。明朝的冯梦龙在编写《古今小说》卷三十九《汪信

之一死救全家》时,还据此敷衍出一段"人话":

> 话说大宋乾道淳熙年间,孝宗皇帝登极,奉高宗为太上皇。那时金邦和好,四郊安静,偃武修文,与民同乐。孝宗皇帝时常奉着太上乘龙舟来西湖玩赏。湖上做买卖的,一无所禁,所以小民多有乘着圣驾出游,赶趁生意,只卖酒的也不止百十家。且说有个酒家婆姓宋,排行第五,唤做宋五嫂。原是东京人氏,造得好鲜鱼羹,京中最是有名的。建炎中随驾南渡,如今也侨寓苏堤赶趁。一日太上游湖,泊船苏堤之下,闻得有东京人语音,遣内官召来,乃一年老婆婆。有老太监认得他是汴京樊楼下住的宋五嫂,善煮鱼羹,奏知太上。太上提起旧事,凄然伤感,命制鱼羹来献。太上尝之,果然鲜美,即赐金钱一百文。此事一时传遍了临安府,王孙公子,富家巨室,人人来买宋五嫂鱼羹吃。那老妪因此遂成巨富。有诗为证:一碗鱼羹值几钱,旧京遗制动天颜。时人倍价来争市,半买君恩半买鲜。

一碗平常的鱼羹,却负载着一代兴亡的记忆,引发食者的黍离麦秀之悲、故国遗民之怨,它也因此而具有了不同寻常的文化意蕴。

宋代经济发达,城市繁荣,士大夫待遇优渥,奢靡之风愈来愈盛。王栐的《燕翼诒谋录》说:"咸平、景德以后,粉饰太平,服用寝侈,不惟士大夫家崇尚不已,市井闾里以华靡相胜,议者病之。"也就是说,从北宋真宗时开始,社会风气已渐趋奢靡。《东京梦华录》说到京城的酒店:一般首都市民都追求奢靡风气,出手阔绰,凡进了酒店,不管什么人,即便就两个人对坐饮酒,也要用一副注碗、两副盘盏,每人五只果菜楪,三五只水菜碗,这些器皿算起来就差不多要百两银子。就算一个人独饮,器皿也都要用银盂之类。端上来的果子菜蔬,都十分精致洁净。

陶宗仪的《辍耕录》谈道:"杭民尚淫奢,男子诚厚者十不二三。妇人则多以口腹为事,不习女工。至如日用饮膳,惟尚新出而价贵者。稍贱便鄙之,纵欲买,又恐贻笑邻里。"地方的富庶,上层社会的穷奢极侈,必然导致自上而下的享乐颓靡之风盛行。罗大经的《鹤林玉露》记载:大奸臣蔡京败亡以后,有个做官的从京城买了一个小妾,自称原是蔡太师府内包子厨房的人。于是,做官的就让她做包子。小妾推辞说不会。做官的质问她:"你既然是包子厨中人,怎么能不会做包子呢?"小妾回答说:"我在包子厨中只负责㧅葱丝,其他一概不会。"简短的一则笔记,却揭橥了当时政府最高层的腐朽生活。与此相映成趣的是另一部宋人笔记洪巽的《旸谷漫录》所录的"京师厨娘"故事,文前先有一段话,说京城(杭州)中下等的人家,不看重生男孩,生了女孩反而像捧着宝贝一样的珍爱。稍微长大一些,就根据她们的资质教导技艺,准备伺候士大夫之家。有各种各样的名称,如:身边人、本事人、供过人、针线人、堂前人、杂剧人、拆洗人,还有琴童、棋童、厨子,等级分明。其中厨娘是最下等的,但不是极富贵人家也用不起。

而后,讲了一段很有趣的故事:一位出身寒素的读书人经过刻苦努力通过科举步入仕途,逐渐成为地方上的高级官员(太守),平日依然过着简朴的生活,不改儒家做人的准则。有一次奉旨回到故乡祭祀祖先,宴请族亲,可身边没有像样的厨师。不由想起曾经在一位官员家里吃晚饭,有位京师厨娘做的菜极为可口,于是托人从京城物色一位厨娘来主厨,许诺高价酬劳。不久,收到回信,说已经物色到一位,20多岁,长得端正,手艺也好,能写能算。太守非常高兴,立刻回信聘请。过了20天左右,果然来了。到离家5里的码头,先派了个脚夫送来一封亲笔小楷的函件,文笔优雅,要求派轿子来接。该太守看了信,觉得一个厨娘这么大排场,实在可笑。等到进了家门,一看果然长得端正,举止静雅,礼貌周到,太守觉得大过所望,于是与她商量明天宴会的菜品。太守开了个单子,第一道食物是羊头签(扒羊脸),第一道菜叫葱齑,其他的都比较容易做。厨娘用小楷写明需要羊头10个、葱齑5斤。太守觉得用料太多,但唯恐她看出小气,就打算暗中监视她。第二天早晨,家里的佣人们备齐了物料,厨娘开始操作,只见她打开行李,拿出一件件锅铫盂勺,都是白金所制,璀璨夺目。旁观者都啧啧称叹。再看她系上围裙,切末批窗,真有运斤成风的气势。她处理羊头,只用刀片去脸上的两片肉,剩下的都扔掉。太守家的佣人问她:"为何整个羊头都不要了?"她回答:"这不是贵人该吃的东西。"佣人们便把羊头收起来保存,她笑骂道:"你们这些人真是狗子。"她处理葱齑,把外边的皮都一层一层剥掉,只留最里面的一条像韭黄般的细芯,其他全扔掉。等到宴席开始,她做的菜馨香脆美,好到没法形容,被来客抢食一空。席散以后,厨娘拿出账单,开列十分清楚,无一毫作弊,但昂贵得让太守连连咋舌。心里说:"我辈没那么厚的财力,这种宴席不能常办,这样的厨娘不宜常用。"

宋代的理学家真德秀有一篇《论菜》谈道:"百姓不可一日有此色,士大夫不可一日不知此味。"讲的就是统治者不能不了解民间疾苦。

宋人在饮食方面,富于想象,多有创造,新意迭出,穷极精妙。宋代的士大夫都很有学问,做官的薪水很高。他们也喜欢谈论饮食,往往颇有趣味,甚至可以上升到哲理的层面。

宋人赵令畤《侯鲭录·序》说：

> 夫天下有有味之味，有无味之味。有味之味，能味乎一时，而不能味于时时与天下后世。无味之味细咀而始知，愈嚼而愈美，达可以调商家之鼎，穷可以乐颜巷之瓢，其天下之至味乎！

这里的"无味之味"与老子的"无为而治"、"无欲之欲"实有异曲同工之妙。

苏东坡的一生历经沉浮，饱尝忧患。但他生性旷达，随遇而安，成就了一代文豪，也留下了许多关于饮食的美谈。他的诗句"宁可食无肉，不可居无竹。无肉令人瘦，无竹令人俗"脍炙人口。他创制的"东坡肉"，今日仍广为流行。他被贬到瘴疠之地的广东惠州，还乐观地作诗说："罗浮山下四时春，庐橘杨梅次第新。日啖荔枝三百颗，不辞长作岭南人。"他喜欢吃河豚。河豚有剧毒但味道极美，俗谚说"冒死吃河豚"。吴地的人喜欢称河豚的肚子为"西施乳"，是最鲜美的部位。在常州时，有个当地的官员家里善烹河豚，请东坡来家品尝。官员的老婆孩子都藏在屏风后面，希望听到大文豪的一句品评。河豚端上来，只见东坡一个劲儿地大嚼，一声也不吭，全家人都很失望。这时，东坡突然放下筷子，说："也值一死。"于是大家十分高兴。

东坡还有和朋友用饮食开玩笑互相打趣的故事，朱弁的笔记《曲洧旧闻》中有一则"毳饭"，说东坡曾经和好友刘攽提起当年在学校和弟弟苏辙一块儿攻读经典、准备科举的时候，一日三餐都是"三白"，觉得味道极美。刘攽问什么是"三白"。东坡答道："一撮盐、一碟生萝卜、一碗饭。"刘攽听了大笑。过了几天，刘攽请东坡到家吃"皛饭"，东坡不知道"皛饭"是什么,心想刘攽读书多,肯定有出处,便去了刘家。到吃饭的时候,桌上只有盐、萝卜、白饭,这才明白刘攽是用"三白"(皛)戏弄自己,只好笑着吃光了这顿饭。临上马,对刘攽说:"明天到我那儿,我拿'毳饭'招待你。"刘攽估计东坡也会戏弄自己,但不知道"毳饭"是何物,第二天还是去了。到了饭时,刘攽肚子饿了,可桌上什么也没有。刘攽催了几次,东坡都说"稍等"。刘攽实在饿得不行了,这时,东坡缓缓地说道:"盐也毛,萝卜也毛,饭也毛,不是'毳'么?"市语说"无",音"模",再转为"毛",如今广东话还是把"无"读成"毛"。东坡是借同音字回敬了刘攽。

这类文人之间的玩笑打趣在古代称为"雅谑"。它需要参与的人学问广博,为人超脱,有禅心,懂幽默。如果是只想着媚上欺下、奔竞贪墨的官员,是不会有这份闲情逸致的。

"苏门四学士"之一、与苏轼并称为"苏黄"的黄庭坚(号山谷)也有关于饮食的妙论。《侯鲭录》载有黄山谷品食的一段文字,说:

> 黄鲁直云:烂蒸同州羊羔,沃以杏酪,食之以匕不以筯,抹南京面,作槐叶冷淘,糁以襄邑熟猪肉,炊共城香稻,用吴人鲙松江之鲈。既饱,以康王谷帘泉,烹曾坑斗品。少焉,卧北窗下,使人诵东坡赤壁前、后赋,亦足少快。

同州是山陕沿河交界的要冲,在汉朝隶属左冯翊,还是梆子戏的发源地,当地的羊羔味道鲜美。把羊羔蒸得酥烂,浇上杏仁酪,吃的时候用刀切,不用筷子。把槐叶捣碎,和南京(指河南商丘一带,属应天府,曾为赵匡胤旧藩,大中祥符七年[1014],建为南京)面粉,做成冷面,颜色翠绿,再拌上著名的襄邑（今河南雎县）熟猪肉。用共城（今河南辉县市）特产的香稻蒸米饭，请吴地的师傅炮制松江鲈鱼的生鱼片。饱餐一顿之后，用唐代茶神陆羽品鉴过的天下第一泉——庐山康王谷帘泉烹泡最上等的建溪茶——增坑斗品。吃饱喝足，卧在北窗之下，听人朗诵苏东坡的前后《赤壁赋》。

有特色的地方风味、上等饮食与境界开阔、文辞优美的《赤壁赋》的结合，昭示出宋代士大夫的一种精神品味。熔西部的粗放与江南的文雅于一炉，集文章之妙品与食物之珍奇为一境，因品食而至论道，由口腹而至精神，可以体味宋人玄谈的风范。

明清的饮食之趣

明清时期,中国的饮食更加丰富多彩。文人的笔记十之
七八会涉及饮馔烹饪的内容,有的文字优美,情趣高雅,可称
上乘的小品文;有的诙谐幽默,读来趣味盎然。还有大量的
小说,如《水浒传》《金瓶梅》《儒林外史》《红楼梦》等,都有非
常精彩的描写饮食酒宴的场景,一个个鲜明的人物形象也就
在觥筹交错的喧嚣中得以展现。

明人顾起元《客座赘语》说:

> 陶秀实学士《清异录》载金陵七妙:虀可照面,饭可
> 打擦台,馄饨汤可注研,湿面可穿结带,饼可映字,醋可
> 作劝盏,寒具嚼着惊动十里人。今犹有此数物,起面饼
> 以城南高座诸寺僧所供为胜,馄饨汤与寒具市上鬻者颇
> 多,寒具即馓子,醋绝有佳者,但作劝盏恐齿龁,不禁一
> 引耳。秀实又言,金陵士大夫颇工口腹,至今犹然,而哺
> 啜家又竟称吴越间。世言天下诸福,唯吴越口福,亦其
> 地产然也。[1]

顾起元是江宁(今南京市)人,万历二十六年(1598)探花。陶
秀实就是陶穀,历仕五代晋、汉、周和宋四朝,他所说的虀、
饭、馄饨汤、湿面、饼、醋、寒具(馓子)都是南京的市井小吃,

---

[1] 顾起元著,谭棣华、陈稼禾点校:《客座赘语》卷一,中华书局,1987年,第
22页。

因为做法独特，与别处不同，所以称"七妙"。蘁，就是酸菜。"蘁可照面"，是说腌菜的汤极为清澈，可以当镜子照脸。"馄饨汤可注研"，是说馄饨汤也特别清，可用来研墨。"湿面可穿结带"，说捞出的面条特别筋斗，打结也不会断。"饼可映字"，饼烙的像纸一样薄，能够透视，像今天全聚德烤鸭店的薄饼。"醋可作劝盏"，是说醋味甘甜，可以代酒劝杯。"寒具嚼着惊动十里人"，寒具就是馓子，现在山东济南的街头还常见。但南京的馓子特别酥脆，咀嚼的声音能惊动很远的人。南京地处长江下游，又是六朝古都，南北物产荟萃，各地美食聚集，所以当地的士大夫都很讲究口腹之欲。

明清之际，小品文写的最好的是张岱，他在明朝是世代官宦家的贵公子，诗文书画、丝竹茶道，都品味极高。入清以后，家道中落，回想过去的生活，写下了许多脍炙人口的美文。他的《陶庵梦忆》有一段关于吃螃蟹的记述，可以看出他早年生活的精致讲究：

食品不加盐醋而五味全者，为蚶，为河蟹。河蟹至十月与稻粱俱肥，壳如盘大，坟起，而紫螯巨如拳，小脚肉出，油油如蝤蛑。掀其壳，膏腻堆积如玉脂珀屑，团结不散，甘腴虽八珍不及。一到十月，余与友人兄弟辈立蟹会，期于午后至，煮蟹食之，人六只，恐冷腥，迭番煮之。从以肥腊鸭、牛乳酪、醉蚶如琥珀，以鸭汁煮白菜如玉版，果蓏以谢橘、以风栗、以风菱。饮以玉壶冰，蔬以兵坑笋，饭以新余杭白，漱以兰雪茶。由今思之，真如天厨仙供，酒醉饭饱，惭愧惭愧。纯生氏曰：昔有嗜蟹者曰，愿来世蟹亦不生，我亦不食。一僧精禅理，尤好嗜蟹。蟹投，百沸作郭索状，触釜铮铮有声。僧俯而祝曰：汝莫心焦，待汝一背红，便不痛楚也。

蟹是中国人公认的美味,有湖蟹、河蟹、江蟹、溪蟹、沟蟹、海蟹之分,每一种又可因地域、形状、味道再分出很多品种。唐宋的富贵人家吃梭子蟹——也叫蟳蟳,产于近海,有两只巨大的螯(蟹钳)。只拨出螯中的肉吃,其他的都弃掉。如今以阳澄湖的大闸蟹最受欢迎。

中国人吃螃蟹的历史至少有几千年了,荀子《劝学篇》说"蟹六跪而二螯",是少算了两条腿。秦朝的《关尹子》一书说:"庖人羹蟹,遗一足几上。蟹已羹,而遗足尚动,是生死者一气聚散尔。不生不死,而人横计曰生死。"关尹子说的是:厨师做蟹羹,掉了一条蟹腿在桌上,蟹羹蒸熟了,那条腿还在动。由此联系到生死的哲学问题,认为生死不过是一口气的聚散。汉朝刘熙《释名》讲到了蟹酱、蟹蝑的做法。到了宋朝,就出现了《蟹谱》、《蟹略》等专门研究螃蟹的书,比如高似孙的《蟹略》,就从螃蟹的来历、相貌、产地一直说到吃蟹的工具,蟹的品种、味道,包括蟹的进贡、蟹的做法乃至有关的诗赋传说,可以说是关于螃蟹的百科全书。苏东坡认为河豚美味,说吃河豚"值得那一死"。因为河豚有剧毒,所以历来有"冒死吃河豚"的说法。螃蟹却没有毒,可以大啖,其味视河豚,亦未必不及。故古来知味者与那些饕餮之徒,无不把螃蟹视为绝美之物而乐此不疲。不过越好吃的东西,也往往是难以大口咀嚼的,这就是造物之奇了。如果吃螃蟹也如大嚼红烧肉,首先是没了情趣,其次是螃蟹就要绝种了。所以吃鲥鱼要一根一根剔刺,还要带着鳞清蒸,不然就散了。吃河豚要冒生命危险。吃螃蟹要仔细地剔抉挖挑,慢咂细品。

《金瓶梅》中的西门庆从一个清河县的地痞恶霸到买官成了山东提刑按察司清河左卫的理刑副千户(从五品的级别),他的饮食习尚其实有一个脱俗入雅的过程,起初是扁食、猪头肉的水准,后来随着财富的暴涨、身价的提升,他的

口腹也愈来愈饫甘餍肥，专嗜清雅，喜欢鲥鱼、酿蟹、鸽雏、糟
笋还有酥油泡螺、衣梅等等精致之物了。《金瓶梅词话》有一
段写西门庆吃的零食——衣梅：

> 只见来安儿后边拿了几碟果食……一碟黑黑的团
> 儿，用橘叶裹着，伯爵拈将起来，闻着喷鼻香，吃到口，犹
> 如饴蜜，细甜美味，不知甚物。西门庆道："你猜！"伯爵
> 道："莫非是糖肥皂。"西门庆笑道："糖肥皂那有这等好
> 吃！"伯爵道："待要说是梅苏丸，里面又有核儿。"西门庆
> 道："狗材过来，我说与你吧，你做梦也梦不着：是昨日小
> 价杭州船上捎来，名唤做衣梅。都是各样药料，用蜜炼
> 制过，滚在杨梅上，外用薄荷、橘叶包裹，才有这般美味。
> 每日清辰呷一枚在口内，生津补肺，去恶味，煞痰火，解
> 酒剋食，比梅苏丸甚妙。"

第五十二回，借帮闲应伯爵的口，道出了西门庆在饮食上的
考究僭越。应伯爵在西门家里吃到了鲥鱼，不禁感慨道："你
每那里晓得，江南此鱼一年只过一遭儿，吃到牙缝儿里，剔出
来都是香的。好容易！公道说，就是朝廷还没吃哩。不是哥
这里，谁家有！"

第六十一回，又专写西门庆家酿蟹的炮制：

> 四十个大螃蟹，都是剔剥净了的，里面酿着肉，外用
> 椒料、姜蒜米儿、团粉裹就，香油炸、酱油酿造过，香喷喷
> 酥脆好食。

不过说到底，我认为苏浙一代的螃蟹做法，比如姜葱炒
蟹还是失了自然之美。古人云："丝不如竹，竹不如肉，以其

渐近自然也。"讲的是弦乐不如管乐，管乐不如人的歌喉，就是这个道理。还是《红楼梦》大观园里的贵族们会吃蟹，就是简单的一蒸，蘸以姜醋。真懂吃的人皆知此理。

清初的李笠翁是个非常懂得生活美学的文人，是个大大的美食家，也是最爱吃蟹的，他的《闲情偶寄》卷十二有一段专谈蟹。他说世间一切好吃的东西都能用文字形容，唯独螃蟹，心里喜欢，嘴里享受，可是它的美味无法形之于语言文字。李笠翁在每年螃蟹还没出生时，就开始攒钱，等着它上市。从上市到消失，每天必吃。还要预先糟蟹、酿蟹，以备不时之需。他说："更可厌者，断为两截，和以油盐豆粉而煎之，使蟹之色、蟹之香与蟹之真味全失。此皆似嫉蟹之多味，忌蟹之美观，而多方蹂躏，使之洩气而变形者也。世间好物，利在孤行。蟹之鲜而肥，甘而腻，白似玉而黄似金，已造色香味三者之至极，更无一物可以上之。"他还说，吃蟹必须自己动手，一边剥，一边吃。要是别人越俎代庖，则味同嚼蜡了。李笠翁真不愧美食家的称誉。

乾隆时候的大名士、美食家袁枚写过《随园食单》，他认为蟹用淡盐水煮熟最好，蒸则味太淡。看来袁简斋比李笠翁口重。袁枚还介绍了一种"剥壳蒸蟹"的做法：

> 将蟹剥壳，取肉，取黄，仍置壳中，放五六只在生鸡蛋上蒸之，上桌时完然一蟹，唯去爪脚。比炒蟹粉觉有新色。

依我看，仍属过度烹饪。不过袁枚在饮食上自视极高，对于前辈美食家陈继儒、李渔都不以为然。他的《随园食单》确实有很多精辟的见解，多是从烹饪实践中得来，有助于厨师们提高技艺。比如他谈"火候"，说煎炒要用武火，火弱的话食材就疲了。煨和煮则要用文火，火猛了菜肴就会枯。有的菜要先用武火后用文火，不能性急，不然皮焦里面不熟。有的东西越煮越嫩，如腰子、鸡蛋；有的稍微一煮就不嫩了，如鲜鱼、蚶蛤。炖肉如果起锅迟了，红色会变黑；炖鱼起锅迟了活肉会变成死肉。总是掀锅盖，会减少香味而多沫。烧菜中间，火灭了再燃，会走油而失味。这都是经验之谈，即便今日看来，也是符合饮食之道的。他还讲到上菜的次序，说咸的应该先上，淡的后上；味浓的先上，味淡的后上；不带汤的先上，带汤的后上。要兼顾五味。看着客人差不多吃饱了，要用辛辣菜刺激一下；如果客人酒喝多了，要上酸甜的肴馔。这也很符合人的脾胃。他又说切葱的刀不可以切笋，捣辣椒的臼不可以捣米粉。好的厨师，要多磨刀、多换布、多洗手。不然嘴里吸的灰尘、头上的汗滴、灶上的蝇蚁、锅上的烟煤，一旦掉落菜盘中，再好的珍馐也毁了。讲的也很有道理。《随园食单》的最重要价值是详细记录了从 14 世纪到 18 世纪中期流行的 342 种菜肴、点心、茶酒的用料和制作方法，具有很强的可操作性。只是在近世的一些散文家眼中，此书格调不高。周作人就谈道："若以《随园食单》来与'饮馔部'（指李渔的《闲情偶寄》卷十二）的一部分对看，笠翁犹似野老的掘笋挑菜，而袁君乃仿佛围裙油腻的厨师矣。"

　　筷子也是中国的一大发明，至少有三千年的历史，而且传到周边的很多国家，如日本、朝鲜、暹罗等等。筷子从前叫"箸"，据说商纣的时候已经有了。有人说筷子的名称是吴地的船民发明的，船上忌讳说"住"说"翻"，所以称"快子"。筷子兼有夹、挑、撮的多种功能，试想一盘宫保鸡丁或者蚂蚁上树端上来，你不用筷子而用刀叉，那吃相得多么难看啊！事实上，欧洲人直到 17 世纪吃饭还用手抓呢。而且直到今天，炒和蒸，西方人也还是没有学到家。

中国菜肴的烹饪

　　蒸、炒、烹、氽、爆、煮、煨、烫、炙、煎、炸、脍等都是中国菜的制作方法,各有各的操作要领。不过这些技艺绝不是一朝一夕造就的,而是经过了漫长的衍化过程。人类在摆脱了茹毛饮血的原始社会以后,逐渐进入熟食的文明阶段。所谓熟食,其实就是把猎物烤熟或煮熟,因此最早的烹饪方法就是煮和烤,全世界各民族概莫能外。蒸,则是中华民族的一大发明。将食物隔水放置,利用水蒸气将食物炊熟,或鱼或肉或面食谷物,口感软糯,原味不散。譬如清蒸鲥鱼、清蒸鳜鱼、清蒸江团、粉蒸肉、沔阳三蒸乃至云南的汽锅鸡,都是驰名遐迩的蒸菜,至于炊饼、馒头、包子、八宝饭一类主食,更是脍炙人口、众所周知的蒸食。

　　蒸在中国有悠久的历史,《管子》说"渔猎取薪,蒸而为食"[①]。《韩非子·二柄》讲齐桓公好吃美味,和御厨太监易牙说:"我什么肉都吃过了,就是还没尝过婴儿的肉。"易牙回到家就把自己儿子的头蒸熟了进献给桓公,他遂因此而得宠。这个易牙,固然是个奸邪谗佞、遗臭万年的小人,却又是一位深通饮食之道的烹调大师,据说他善于辨味,齐国的两条河——淄水和渑水,他一尝就能分辨出来,百不失一。蒸的技艺在中国至少有两千多年的历史,炒则是宋代的发明,前面"宋代的饮食文化"一节已经谈过,此处不赘。可以说:蒸和炒是中国对世界饮食文化的巨大贡献,其中蕴含着丰富的

---

　　① 《管子》卷 24,四部丛刊景宋本。

科学性与艺术性。去过欧美的国人往往会有一种感受，就是吃的单调，滋味欠缺。这当中固然有文化习俗的扞格，但也与欧美的烹饪方式基本不离煎煮烤炸，较为单一有关。煎其实是变相的烤，炸是变相的煮，只是用油和用水的区别。一道煎牛排，从伦敦吃到纽约，味道其实差不多，差异只在几成熟。意大利的披萨年轻人都喜欢，可有人说那也是马可波罗当年从中国带回去的做法。

饮馔烹饪技艺多方面地展现了中国人的巧思妙悟与辩证思维，经过无数代人摸索创新、切磋琢磨而形成的八大菜系以其卓然特立、各具风姿而为人艳称，以下便分门别类介绍一些各地美食的制作烹饪方法。

脍，指细切的鱼肉，《论语·乡党》"脍不厌细"，是说孔子认为生鱼片切得越细越好。作动词解释就是细切，后来也可以泛指切别的肉。国人吃日本料理、韩式料理，多数不知道鱼生是我们老祖宗的发明，后来传到了日韩，还以为是人家的饮食特色。倒是作为蘸料的那种绿色芥末（辣根）确是日本的产物。隋唐时期，在江南流行一道名菜——金齑玉脍，名字就很美，据说深得隋炀帝的喜爱。《太平广记》引唐代的《大业拾遗记·吴馔》条："收鲈鱼三尺以下者作干鲙，浸渍讫，布裹沥水令尽，散置盘内，取香柔花叶，相间细切，和鲙拨令调匀，霜后鲈鱼，肉白如雪，不腥，所谓金齑玉鲙，东南之佳味也。紫花碧叶，间以素脍，亦鲜洁可观。"说的就是用色泽金黄的香柔花叶与切细的鱼片相拌，黄白映衬，紫花碧叶，色泽光鲜，诱人食欲。

脍，在中国菜里是最简单的做法。下面说说粥，粥在中国也有几千年的历史，《礼记·檀弓·上》有"饘粥之食"。稠的叫饘，稀的叫粥。又当菜，又当饭。北方人熬粥比较简单，腊八粥、八宝粥，也只是把各种果米一起倒进釜中煮，广东人、台湾人做粥就复杂得多，鱼片粥、猪肝粥、皮蛋瘦肉粥、猪腰粥……不一而足，各有妙味。宋朝人洪迈的《夷坚志》有一则"圆真僧粥"的故事，涉及一道美味鱼粥的做法，颇有趣味。讲的是有位叫吕彦能的贵公子，有一次从天台城里进山，来到村落中的一座小寺，寺庙的主持僧圆真恰好外出，只有一个守庙的小孩在熟睡，叫也叫不醒。吕彦能十分疲倦，就在榻上卧下休息。忽然一股肴馔的鲜香气味，直冲鼻端，萦绕不去。于是便走到厨房探视，只见一只釜（古代的炊器，铜制或陶制，口小肚圆，像个大罐子，用来蒸煮），口边四角用丝线系着四枚崇宁大铜钱，微微冒着热气，其他什么也没有。只好悻悻地走出来，正好碰上寺僧圆真从外回来，笑着欢迎他，说："反正我的隐私已经暴露了，用不着再遮掩，您就留下来共享吧。"于是两人便饮了几杯酒，上了一碗粥，色白如雪，味道绝美，吕彦能"不知为何品"。圆真告诉他：刚才您见到的釜旁系着的大钱，奥妙都在这儿。做这道粥的方法，要用四条大鳜鱼收拾干净，去除鱼皮头尾，用线系住鱼骨的顶端垂入釜中，然后下水和米，盐、酒、薑、椒等作料，酌量投入，估计已经熬得糜烂时，将四个大钱并拢，一齐掣出，鱼骨脱离，鱼肉完全溃烂在粥中，所以味道能如此之美。"吕醉饱而去"[①]。

彭祖也是传说中的食神，《神仙传》说他到商朝末期已活了七百六十七岁，还一点都不衰老。据说易牙的烹饪技术还是跟他学的，当然都太不靠谱。倒是有一道菜"羊方藏鱼"和彭祖有点关系，值得一说。相传彭祖的儿子夕丁某日抓了一条鱼，求他母亲烹制。其母正在煮羊，顺手把羊方剖开，将鱼塞了进去。煮熟后，味道兼有鱼羊之鲜，不同凡品。彭

---

① 洪迈《夷坚支丁卷第三》"圆真僧粥"条，中华书局，1981年，第989页。

祖回家,又加工点染,后来变成了著名的苏菜,驰名于徐州
一带。徽菜名馔亦有鱼咬羊一味,北京菜中出自潘祖荫府
中的潘鱼也是以鱼羊合烹而享有盛名。由此联想到河南的
一道菜,叫套四宝,鹅肚子里装一只鸭,鸭肚子里装一只鸡,
鸡肚子里装一只鸽子,作料都事先放入,蒸熟食用。笔者觉
得像是宫廷菜,只是视觉炫彩,味道未必佳。因为鸽子肚子
里还可以放一只鹌鹑,鹌鹑肚子里还可以放一只黄雀,不是
成了俄罗斯套娃了么!土家族有一道羊肉做法甚佳,用一
坛黄酒,羊肉切大块放入,密封埋土中。三日后取出,不开
封,慢火烹煮三小时。启封时,肉香酒香融合无间,令人食
指大动。

　　明清两代,中国的烹饪技艺又有长足的进步。尤其是江
南地区,自明代中叶以来,工商业发展迅猛,世风奢靡,富商
巨贾与文人士夫交流频密,享乐主义弥漫全社会。饮馔烹饪
技艺也就在这种风气的推毂之下更上层楼,穷极精妙。《金
瓶梅词话》写西门庆一顿平常的午餐,就是"先放了四碟案鲜
(下酒菜):红邓邓的泰州鸭蛋,曲湾湾王瓜拌辽东金虾,香喷
喷油煤的烧骨,秃肥肥干蒸的劈晒鸡。第二道,又是四碗嗄
饭:一瓯儿滤蒸的烧鸭,一瓯儿水晶膀蹄,一瓯儿白煤猪肉,
一瓯儿炮炒的腰子。落后才是里外青花白地磁盘,盛着一盘
红馥馥柳蒸的糟鲥鱼,馨香美味,入口而化,骨刺皆香"①。小
说里的西门庆是山东清河(今属河北)县人,他吃的东西却不
限于山东,而是兼备南北,既有东北边疆特产辽东金虾,又有
济南的美味水晶肘子,有江苏中部泰州著名的咸鸭蛋,还有
长江四鲜中的极品——鲥鱼。当然,西门庆只是个财主,没

---

　　① 《金瓶梅词话》第三十四回,人民文学出版社,2008年,陶慕宁校注版,第
437页。

什么文化,他的饮食仍属形而下的水平。

乾隆时候的袁枚是位大才子、大名士,美食家。他是钱塘(今杭州)人,进士出身,当过庶吉士(翰林院见习生),还做过七年县令。三十多岁对仕途失望,便辞官隐居在南京的小仓山随园。他是性灵派诗歌的代表人物,倡导写诗要重真情、灵趣,认为人的饮食男女之欲应该得到尊重。他自己在生活上也是放浪不羁,既爱女色,亦邀男宠,还收了不少女弟子,所以遭到正统礼法之士的讥弹,但许多达官贵人、名流俊彦还是以结交袁枚为荣。这有点像如今的"大师",总有官员上门求教。不过袁枚不靠骗,是有真才实学的。在饮食方面,他也有系统的思想。在《随园食单》的自序中,他就指出孟子在饮食上是个两面派,一面瞧不起"吃货",一面又感叹自己尝不到饮食的"正味"。他引《中庸》"人莫不饮食也,鲜能知味也"。由此引申世间的各种技艺,都有深微的道理。他自己对待饮馔烹饪之道,便是如此。在谁家里吃到美味,一定叫家厨到人家里拜师学艺,四十年来,积累了众多的美食烹饪方法。《随园食单》便是系统阐述袁枚烹饪理念与具体菜肴制作的专书。如"作料须知":

　　厨者之作料,如妇人之衣服首饰也。虽有天姿,虽善涂抹,而敝衣蓝缕,西子亦难以为容。善烹调者,酱用伏酱,先尝甘否;油用香油,须审生熟;酒用酒酿,应去糟粕;醋用米醋,须求清冽。且酱有清浓之分,油有荤素之别,酒有酸甜之异,醋有陈新之殊,不可丝毫错误。其他葱、椒、姜、桂、糖、盐,虽用之不多,而俱宜选择上品。苏州店卖秋油,有上、中、下三等。镇江醋颜色虽佳,味不甚酸,失醋之本旨矣。以板浦醋为第一,浦口醋次之。①

他把烧菜的作料比喻为女人的衣服首饰,就算是西施,没有上等的服饰,也显不出美色。所以油、酱、姜、葱、椒、醋、盐、糖都要用上品。看看他记录的一道"王太守八宝豆腐"的做法:

> 用嫩片切粉碎,加香蕈屑、蘑菇屑、松子仁屑、瓜子仁屑、鸡屑、火腿屑,同入浓鸡汁中,炒滚起锅。用腐脑亦可。用瓢不用箸。孟亭太守云:"此圣祖赐徐健庵尚书方也。尚书取方时,御膳房费一千两。"太守之祖楼村先生为尚书门生,故得之。

这道羹可不是我们如今在饭馆里常能吃到的八珍豆腐,它是出自康熙御膳房的珍品,看似简单,只是把豆腐切碎,加入香菇、蘑菇、松子、瓜子、鸡肉、火腿的碎末,放进浓鸡汤中煮滚起锅,但色泽润白如脂,口感鲜嫩爽滑,吃的时候要用羹匙。康熙皇帝食后大为满意,认为胜于燕窝,赐名"八宝豆腐"。所谓王太守名箴舆,字孟亭,江苏宝应人,康熙五十一年进士,曾任瑷珲知府,是袁枚的好友。他祖父王式丹,号楼村,是康熙四十二年的状元。王式丹的座师则是康熙初鼎鼎大名的刑部尚书徐乾学,这道菜谱就是康熙赐给徐乾学,徐又花了一千两银子从御膳房买来的,后来传给王式丹,式丹再传乃孙箴舆,箴舆又传袁枚。到今天也三百多年了。

袁枚在饮食上有很多真知灼见,今天看来仍颇有意义。

---

① 袁枚:《随园食单》,江苏古籍出版社,1993年,《袁枚全集》第五册王英中校点本第1页。以下引文未标注者皆出此本。

133

如"戒耳餐"：

> 何谓耳餐？耳餐者，务名之谓也。贪贵物之名，夸敬客之意，是以耳餐，非口餐也。不知豆腐得味，远胜燕窝；海菜不佳，不如蔬笋。余尝谓鸡、猪、鱼、鸭，豪杰之士也，各有本味，自成一家；海参、燕窝，庸陋之人也，全无性情，寄人篱下。尝见某太守宴客，大碗如缸，白煮燕窝四两，丝毫无味，人争夸之。余笑曰："我辈来吃燕窝，非来贩燕窝也。"可贩不可吃，虽多奚为？若徒夸体面，不如碗中竟放明珠百粒，则价值万金矣。其如吃不得何？

燕窝、海参、鱼翅等本身并没有味，袁枚把它们比喻为庸陋之人，"全无性情，寄人篱下"，需要鸡鸭火腿熬制的高汤来烹饪。只是因为珍稀，所以贪官富豪拿来炫耀，"徒夸体面"。

袁枚的《随园食单》记录谈论的基本属于江浙一代的烹饪体系。下面谈谈另一部美食专著《调鼎集》。

《调鼎集》的作者不详，有人说是童岳荐[1]，《扬州画舫录》里面有个大盐商叫童岳荐[2]，是乾隆时人，但没有证据证明他写了《调鼎集》。现在看到的《调鼎集》书前有成多禄的序[3]，说是相传下来的旧抄本，未属作者姓名。它问世的时间最早不会超过清代中期，甚至有可能是晚清。

---

[1] 中州古籍出版社 1988 年张延年校注本《调鼎集》即署童岳荐编撰，不知何据。

[2] 李斗：《扬州画舫录》卷九，江苏广陵古籍刻印社，1984 年，第 186 页。

[3] 成多禄（1864—1928），吉林人，隶汉军正黄旗。出身官宦，光绪乙酉（1885）拔贡，仕至绥化知府。1907 年辞官，遍游江南，广交文友。入民国后，任教育部审核处处长兼图书馆副馆长。其书法卓荦，工诗，今人尊其为东北"四大书圣"之一。《调鼎集》序应是其去世当年（1928 年）戊辰正月十五所写。

《调鼎集》的内容极为丰富，全书共分十卷，依次为"调和作料部"、"铺设戏席部"、"特牲杂牲部"、"羽族部"、"江鲜部"、"衬菜部"、"蔬菜部"、"茶酒部"、"点心部"、"果品部"，基本上囊括了淮扬菜系的菁华，而且还详细介绍了满汉全席。从宴会的安排、茶酒的进献、上菜的次序、盘盏的款式到看馔的原料、配菜、作料直至具体的烹饪方法，都有详细的记录。如第三卷中写"火腿"：

> 金华①为上，兰溪、东阳、义乌、新丰②次之。出金华者细茎而白蹄③，冬腿起花绿色，春腿起花白色。脚要直，不直是老母猪。须看皮薄、肉细、脚直、爪明，红活味淡，用竹签透入有香气者佳。腌腿有熏、晒二法，一鲜腿每重一斤，炒盐一两或八钱，草鞋捶软，套手细擦腌之，热手着肉即返，擦至三四次腿软如绵，看里面精肉有盐水透出如珠，即用花椒末揉一次入缸，加竹栅压以重石。旬日后次第翻三、五次取出。又，用稻草灰层层叠放，收干后悬灶前近烟处，或松叶烟熏之更佳。又，不须石压，用腌莴苣卤浸之，凡莴苣一斤，盐十二两腌成卤。莴苣若干，用盐若干，收坛泥封。腌腿时以此卤入缸浸之，浸透取出晒④。

金华火腿是中华烹饪文化的精髓之一，首先是原料，必须是金华的猪，周边几个县的就稍微差一点了。要看腿和蹄是不是细而白，还要看蹄子直不直，选好原料，下一步才是精

---

① 金华，今浙江省金华市。
② 兰溪、东阳、义乌、新丰在明代皆隶属于金华府。今为县级市。
③ 白蹄，野兽蹄，此处指白色猪蹄。
④ 《调鼎集》，中州古籍出版社，1988年，第126、127页。

细的制作。要一遍一遍地用手揉揣炒盐,再用花椒末揉,接下来依旧程序繁复:烟熏,腌莴苣卤浸,泥封,晒。火腿的味道醇厚馨香,它与"食中君子"——笋似乎天然地关系亲密。《调鼎集》就介绍了不少火腿与笋的美妙搭配,如东坡腿:用五六斤重的陈淡火腿切去爪,分两块洗净,煮去油腻,换清水煮烂,加笋段作衬。或者切皮去骨加冬笋煮,加韭菜芽、青菜梗或茭白、蘑菇,放蛤蜊汁。起锅时略加酒、酱油。

这道菜大约是因为苏轼作过杭州通判,于是被人附会为东坡所创以抬高声价。书中还记有"炖火腿"、"煨火腿"、"笋煨火腿"、"火腿油烧笋衣"等菜肴,无不是笋腿互配,相得益彰。如今的绍兴菜、上海菜都有腌笃鲜一味,是用咸肉与鲜笋块入鸡汤共煮,也很鲜美。当然咸肉较之金华火腿略差一筹,但笔者看来腌笃鲜应该是受到了上述火腿做法的启迪而推出的市井美食。另外,云南的宣威火腿也是美味,值得一尝。

《调鼎集》可谓淮阳菜系的集大成之作,淮扬菜以维扬为中心,辐射四方,兼容南北,博大精深。自一九四九年以来,国宴便确定了以淮扬菜口味为主的定例,迄今未改。这足以说明淮扬菜烹饪技艺的高超以及食客的接受程度,如今北京的玉华台乃是驰名百余年的淮扬菜老店。

原典选读

　　姬①性淡泊，于肥甘一无嗜好，每饭以芥茶②一小壶温淘③，佐以水菜④、香豉⑤数茎粒，便足一餐。余饮食最少，而嗜香甜及海错风薰⑥之味，又不甚自食，每喜与宾客共赏之。姬知余意，竭其美洁，出佐盘盂，种种不可悉记，随手数则，可睹一斑也。酿饴⑦为露，和以盐梅⑧，凡有色香花蕊，皆于初放时采渍之。经年香味，颜色不变，红鲜如摘，而花汁融液露中，入口喷鼻，奇香异艳，非复恒有。最娇者为秋海棠露，海棠无香，此独露凝香发，又俗名断肠草，以为不食，而味美独冠诸花。次则梅英、野蔷薇、玫瑰、丹桂、甘菊之属。至橙黄、橘红、佛手香橼⑨，去白屡丝，色味更胜。酒后出数十种，五色浮动白瓷中，解酲⑩消渴，金茎仙掌，难与争衡也。取五月桃汁西瓜汁，一瓢一丝漉尽，以文火煎至七八分，始搅糖细炼，桃膏如大红琥珀，瓜膏可比金丝内糖⑪。每酷暑，姬必手取其汁示洁，坐炉边静看火候成膏，不使焦枯，分浓淡为数种，此尤异色异味也。制豉取色取气，先于取味，豆黄九晒九洗为度，颗瓣皆剥去衣膜，种种细料，瓜杏姜桂，以及酿豉之汁，极

---

① 姬：指董小宛，晚明秦淮名妓，嫁复社四公子之一的冒襄（辟疆）为妾。

② 芥茶：产自浙江长兴县罗芥山的一种名茶。

③ 温淘：用温水冲泡。

④ 水菜：生于水中的蔬菜，水芹一类。

⑤ 香豉：一种豆豉，用发酵的大豆制成，用以调味。

⑥ 海错风薰：海错指各种海产品，风薰是风干熏制的肉类食品。

⑦ 饴：用麦芽制成的糖稀。

⑧ 盐梅：盐和梅，一咸一酸，用以调味。

⑨ 佛手香橼：也叫佛手柑，一种果树名，形状像半握的手，颜色黄有香味。可吃可入药。

⑩ 解酲：解除酒醉的状态。

⑪ 金丝内糖：宫内所制的一种类似金丝瓜样的糖。

精洁以和之。豉熟擎出,粒粒可数,而香气酣色殊味,迥与常别。红乳腐烘蒸各五六次,内肉既稣,然后削其肤,益之以味,数日成者,绝胜建宁①三年之蓄。他如冬春水盐诸菜,能使黄者如醋,碧者如毯②,蒲藕笋蕨、鲜花野菜、枸蒿蓉菊之类,无不采入食品,芳旨盈席。火肉③久者无油,有松柏之味。风鱼④久者如火肉,有麂鹿之味。醉蛤如桃花,醉鲟骨如白玉,蝐如鲟鱼,虾松如龙须,烘兔稣雉如饼饵,可以笼而食之。菌脯如鸡轮,腐汤如牛乳。细考之食谱,四方邬厨中一种偶异,即加访求,而又以慧巧变化为之,莫不异妙。

——《影梅庵忆语》

---

① 建宁:明代在福建置建宁府。
② 毯:细毛。
③ 火肉:腊肉、火腿。
④ 风鱼:熏制风干的鱼。

古人的游艺之美

狮虎之乳兽相搏，不出扑猱撕咬，鹰隼之幼鸟互戏，无外扑打啄抓，其中意味不仅是饱后消食，更在于预习捕猎本领。可见游戏之为本能，实于治生大有干系，不惟娱乐消暇而已。初民的游戏，应该也是如此。直到周制礼文，"国之大事在祀与戎"，军礼和祭礼却仍然保有游戏色彩。究礼之原始，是为上下长幼立序、为王孙贵人立教，在游戏中宣行教化的同时还要加以节制。节与和，不仅是礼文的核心，也是游戏的意趣。后世之游戏愈加有了艺术性，我们在以棋比兵、比政、比人生的时候，也可以追溯到兵、政、人生的游戏味道。

围棋、投壶、蹴鞠、樗蒲、打马

围　棋

　　围棋与琴、书、画合称文人四友,是古人精神生活的重要一隅。它创制于我国,是目前有文献记载的最古老的棋类,在相当长的时间内,"棋"就直指围棋,后来游艺凡占了一个"棋"字的,都是它的小后生。可以说,它是百棋之祖;文人四友中的棋,一般来说指的也就只有围棋,它是棋苑中最能"登堂入室"的。由于内质最丰,最能体现中国文化的精髓,围棋也就受到了最广泛的欢迎,既富雅致,又不失根基。在漫长的棋类发展史上,借用围棋的棋盘和棋子,只是换了玩法就另衍生出了许许多多的棋类。有这两点,它更可说是棋之大者。

围棋在中国拥有悠久的历史和深厚的基础。早在春秋时期，孔夫子就说："饱食终日，无所用心，难矣哉。不有博弈者乎？"可见孔子承认围棋作为消遣，也有其益智的功能。古人围棋，上至深宫、庙堂，下至市井勾栏，雅俗同好，不分贵贱。帝王、辅弼、文士、僧道、倡优、帮闲……均有雅擅此道者；现代围棋作为一种体育运动，早已推广到世界上，而中、日、韩三国又最称重镇。借用一个时髦的名词，中国拥有庞大的"围棋人口"。

说到孔夫子谈围棋（弈），还要解释一下，他是说与其无所事事，不如去围棋。读者可别以为前句有语病，围棋因下法得名，即所谓"围而相杀"是也。围棋之围就指围杀，本就是个动词。世上棋类游戏多矣，中国象棋、国际象棋也都为大众熟知。围棋之所以特出，在于棋子，而尤在于胜法。如象棋，各棋子有子力和棋路的分别，等级森严；围棋则黑白二分，各子尽皆平等。又三种棋类的下法都有杀子，如象棋，将帅被吃，一局旋告结束，下法是杀子，胜法也是杀子；围棋则不同，下棋时可填气提子，最后却是围地多者胜，下法与胜法有异。这是围棋独特的魅力之一，要理解其中的真味、深意，既得追溯它自身的历史，也需了解其中承载的中国文化。

围棋的历史实在久远，以至于渊源难考。流行的看法有几种：一是"尧作围棋以教其愚子"，认为围棋是圣王创制来行教化的一种益智游戏。这种看法最早见于《世本》，《博物志》又多蔓衍，信者不少，以致陈陈相因。二是围棋源出于历算，是古人仰观天文的产物。这是历代大棋士感悟棋道、人道，认为其上通天道而得出的结论。比如近世围棋大宗匠吴清源就认为，围棋在中国古代没有文字的岁月里，是用来占卜天文、测定阴阳的东西（《中的精神》）。笔者的看法是：《世本》虽然是重要的史部著作，但对于先民的创造，史书往往托名贤哲,如黄帝制车、仓颉造字。《博物志》又是一部志怪小说集,搜罗轶闻固然有裨见知,总还不足采信;至于源出天文,目前没有地下实物能够证明围棋直接与天文测算发生关系,也不见典籍云围棋可以辅助历算。故而这仍是棋手通过弈理而得出的感性判断。这么说来,流行看法竟然不足征,怎么办呢?这里有个浅见:围棋与赌博大有渊源。其实这也不是新鲜的看法,早在《下棋》一文中,梁实秋就说"自古博弈并称,全是属于赌的一类"了。

梁先生果然是有见识的,夫子云"不有博弈者乎",朱熹训诂说:"博,局戏。弈,围棋也。"什么叫"局戏"呢?字书解释,局就是棋盘,局戏也是棋类游戏一种(据《急就篇》颜师古注)。看来"博"和"弈"都是"棋",那么什么是"棋"呢?根据字书,棋,"簙(古同博)棋也"。原来棋就是博,博就是棋。在训诂学里,这叫"互训",也就是说这两个字可以互相阐释,代表的意义也非常接近。说到"博",现在往往让我们联想起"赌博",什么叫"赌"?赌,博簺(音塞)也。簺,"行棋相塞谓之簺"。限于篇幅,本书不能做过多的学理性阐释,但通过训诂,我们能够大致地推测,赌、博和棋的关系在上古非常密切。而文献表明,古人的赌博游戏中,大量运用了棋盘和棋子(规则不同),也即说棋可以作赌具,赌具往往命名为棋,这也从另一方面支持了这个观点。希望这个不成熟的看法有助于读者理解围棋的历史。

前面说"棋之大者",主要是讲围棋的高格、雅致。这还要从它的形制谈起。棋盘又叫"纹枰",到了唐代基本定型:纵横十九道,交叉为三百六十一点——中心点叫"天元",象征"生数之主"。经过天元的两条线又划纹枰为"四象",各九十点,合为周天三百六十之数。棋子分黑白两色,象征阴阳二气。圆形的棋子与方形的棋盘,正寓意天圆地方。简单说了这两句,已经可以看到其中处处体现着传统的宇宙观,合于阴阳家、道家的哲思。再说说行棋的讲究,那才真让人眼花缭乱了。诸如"怯者无功,贪者先亡"、"张甄设伏,挑敌诱寇,纵败先锋,要胜后复"之论,棋枰之上就有兵家的肃杀!还有"先与后取"、"不论一地之得失,要在全局",岂不是纵横家数?再看"有胜不诛,虽败不亡"、"得不为悴,失不为荣",又是一派儒者的雍容揖让。十九道内便是一方天地,儒、道、阴阳、纵横、兵,各家驰骋其间,好家伙,真是百家争鸣之象!常听人讲"人生如棋",大抵说世事变幻,有如棋局。反过来看,棋局之精奥博大亦如人生。

周文矩《重屏会棋图》

围棋虽然与赌有涉,但经过汉魏以来的发展,内质是很雅的。它所承载的文化,前面已经谈及了一部分,现在只略说说它的别称,聊增趣味。《世说新语》:"王中郎以围棋是坐隐,支公以围棋为手谈。"名士王坦之把围棋当成是坐而归隐,奇僧支道林认为围棋是以手清谈。东晋隐逸之风极盛,又崇尚清谈(持麈坐而谈玄),这两人把围棋与之并举,而"手谈"、"坐隐"的称呼惬心称意又流传千古;《述异记》:"信安郡石室山,晋时王质伐木至,见童子数人棋而歌,质因听之。童子以一物与质,如枣核,质含之不觉饥。俄顷,童子谓曰:'何不去?'质起,视斧柯(斧柄),烂尽。既归,无复时人。"这则故事构思瑰奇,情致委曲。讲的是晋代王质上山采樵,观数小儿围棋,不知落子之间,人世百年已过。回过神,来时所持的斧头,木把儿已经腐朽了。这则故事妙在将误入仙山的光阴飞逝与凝神对弈时的往来倏忽联结。棋局本耗工夫,痴迷者常流连竟日,联想王质际遇,围棋就转多沧桑之感、玄远之气。"烂柯"于是成了围棋又一别称。

围棋在中国古人手中,是才思的流露、逍遥的象征,主要的功能还是娱情遣兴、彰显风度。一局终了,讲究"失不为悴,得不为荣",很显涵养。如谢安围棋赌墅、手谈却敌,那是何等的潇洒从容、自在不迫! 可是再怎么讲究,再怎么君子,行棋总是要争短长、见胜负的。何况高下的判别,本也是这个游戏最吸引人的部分——这倒也和赌博很相像了。矛盾就在这里,围棋已经"改换门庭",深深地"雅化",所以古人执棋多是为了陶冶情性、消遣光阴。这个游戏本身的性质,与其承载的文化有了冲突——围棋是要争先的! 争先和潇洒,在对立中共存,哪一方才是围棋的真精神,或者说"真意"呢? 即使是同一位棋手在同一盘棋中,呼应局势,其气机极尽雄飞雌伏之流转,神思趋吞吐舒卷之奥妙,瞻之在前,忽焉在后,哪一个才是他的"本相"呢? 要弄清这些,我们的视野不能局限在中国古代的围棋。

围棋东传日本后,上下嗜之,奉为"国技"。于是逐渐产生了职业"棋士",围棋作为家业代代相传,涌现的奇才不可胜数,为这项运动放一异彩。然而职业化带来的名位牵累也使围棋回归了它的本来面目——争先嗜杀、唯论胜负。为了争夺"名人棋所"的荣誉而进行的"争棋",被称为悬崖上的白刃战。为此,幻庵因硕呕血棋枰,赤星因彻萎顿而终,其惨烈可见一斑。现代作家川端康成的大作《名人》,就对此进行了惊心动魄的展开。现代围棋寝馈日本,更进一步职业化,倚胜为先,棋手愈发成了胜负师(日人称工于胜负者)。只有在吴清源的身上,争先与潇洒达成了浑融,但他也不免有"役于纹枰"之叹。

在国外、现代转了一圈,话题再回到古人的围棋。经过两千年的积累,本土的围棋技艺达至巅峰:清代黄龙士、范西屏、施襄夏已经是震古烁今的大国手了。他们也都算是职业棋士,后两位的"当湖十局"更是"争棋"的天下名局。有趣的是,范公人称"棋坛李白",施公号曰"棋坛杜甫",棋士比于诗家,还是太白、老杜之仙圣一流,可见古人棋艺到了历史的顶尖儿,还是离不开文人意趣。在中国古代,可以说虽然围棋通于三教九流,而就气质大观,它仍是文人手中消暇遣兴的游艺。与中国古人相比,日本的争棋多露出匠气;而与一般文人消闲得趣的对弈相比,谢安、王景文这样的大名士,下棋时猝临大事而偏示人以镇定(这两则故事见篇末引文),所谓"矫情镇物",固然是名士风流、辅弼器量的显现,也正可作围棋运动的谈助,然而功夫真是在棋外了。周作人谈饮茶,"喝茶当于瓦屋纸窗之下,清泉绿茶,用素雅的陶瓷茶具,同二三人共饮,得半日之闲,可抵十年的尘梦"。料想古人下棋,也正当在夕阳晚照、惠风和畅之时,两人对坐于山间长亭之下,分执黑白子,作一局手谈。未必存心争个胜负,却真可消半日之闲。如若对局两人外更有旁观者,那可更妙了,观棋者即使不会下,抑或心思不在棋枰上,在山中享受着曛风,沐浴着夕阳,耳边响起云子落下的清音——还要混杂着风声,所得之闲趣真无法言表了。下过棋,"继续修各人的胜业,无论为名为利,都无不可,但偶然的片刻优游乃正亦断不可少"。如果说山水是以形媚道,大概棋枰是以争合道吧! 行棋在争,旨趣不在争,而胜道在不争。

需要说明的是,这只是对古人之棋历史的一瞥,并非对围棋运动"真意"的断言。每个执棋者领略的风光容有不同,只不要太把它的美(文雅的与争胜的)割裂来看,都大约还能明白,它虽然是矛盾的,更是浑融的———一如操棋之人。

围棋的魅力,非亲自下过不能真正体味。它与其他棋类不同,古今、中外,气机也自不同。如今形于言筌,本已落了下乘,兼且囿于篇幅,才刚展开,就告结束。读者如果被一番引介勾动了兴致,要寻一寻这个"真意",那还需亲入此山。本书名以陶诗,这章不妨用之作结:"此中有真意,欲辨已忘言。"

围棋趣谈

世界上棋类很多,最有名的应该是围棋和象棋,但公认从深度上象棋不如围棋,这里有个基本的道理。因为围棋所做的事情就是连接和切断,这两个观念的博弈。如果你能掌握这两个的博弈,会连接,会抵挡敌人的切断,你就会赢棋。这两个观念在 20 世纪的数学发展史里,变成非常非常重要。20 世纪数学出了一个新知,叫 topology,中国翻译成"拓扑"。拓扑学是今天数学和物理里非常重要的一点。围棋的规则非常的简单,基本就是在研究连接和切断之间的对立,围棋之所以有深度是跟她的数学基本结构有关系的。

——杨振宁

投 壶

围棋源出于博弈而逐渐高格,投壶则正相反。它本是上古礼乐中的贵族游戏(大概脱胎于射礼而用于宴飨),却因为自身的娱乐性质和形式,逐渐向博弈靠拢。

顾名思义,投壶就是要把什么东西投进壶里。这个东西就叫"矢",古人也称其为"筹",其实就是箭杆略加改制。据《礼记》,投壶所用"壶矢"是以树皮带刺的木材做成的,制成后不能去皮。另外,壶矢的长度因环境不同而异。庭中投壶,壶矢最长;堂上次之;室内最短。壶的形制也有定规:颈长七寸,腹五寸,口径二寸半。当然了,上古的尺、寸度量和今天不同。

《礼记》所载的投壶之礼非常繁复,主宾往还一丝不苟。这里拣其要介绍一下投壶的规则:投壶时,壶矢不能投反,要正着入壶才算。客人先投,主人在后,双方交替,连投中的不算。如有人按照规则投进一矢,仲裁即以左主右客的分布对应放下一筹(算)示意。所谓"筹",形制类似计算用的算筹,用来标记投壶中的数量。一局终了,仲裁数筹,筹多者胜,胜者"罚"对方饮酒。说是"罚"酒,以酒在当时的贵重,其实更存了宾主尽欢之意。罚酒之后,仲裁为胜者立一马,以示一局归属。投"筹"(壶矢)得马,大概后世赌博中"筹马(码)"就是从此中化来,而作用类似于"筹"。三局过后一共立了三马,双方得马多者为胜,于是分出最终的高下,双方再饮酒。

上述只是骡栝原文,就已经如此复杂,可见上古礼乐之繁复,也可见投壶这项运动,在规则和意趣上体现的礼乐精神。虽然是燕乐游戏,在投壶的程序和投壶者的心态中贯穿的是雍容揖让、立德正己。孔子说:"君子无所争,必也射乎……其争也君子。"投壶从射礼而来,体现了君子之争,其实就是在演礼。

由于投壶的礼乐性质,在"礼不下庶人"的时代,它只能是一种贵族游戏。礼乐治国的国策下,它和非礼的博弈也大概不会混淆。而一旦礼崩乐坏,这个运动的游戏形式很容易就被博弈之流采撷,在游戏中加上采头,更增名目、添换玩法,投壶也就变成了赌博游艺中的一员。有趣的是,当投壶不再禁止庶民接触的时候,当它去掉了大部分繁缛的礼仪后,它仍更多是深宅大院的娇宠,而不大为市井细民赏爱——如有例外,至多是青楼妓馆、街巷瓦肆中的帮闲有"雅兴"陪着金主偶一为之吧。这恐怕还是贵族气质遗存的缘故。

明清说部中,尤其是世情小说一脉,不乏记录里巷之俗、闺阁之私者。然而遍数诸名作,对于投壶记载稍详的实在寥寥,其中还数《金瓶梅》中描写西门庆一家的投壶活动较值得注意。西门庆本是个泼皮无赖,因种种经营骤然发迹后,可谓财势熏天,但品位未必比从前有多大长进。家主如此,自然可见这是一个居于深宅大院而还未脱市井俗气的家庭。在这样一个特殊的家庭中,观察他们的投壶活动,还真可以看到些"门道"。书中描写西门家中投壶共有三次:一次是西门庆宴请姻戚吴大舅、花二舅,请了几个帮闲作陪,男人们酒后投壶。这倒还依稀是主宾之礼,偏生是在西门宅这个败坏礼教之地、藏污纳垢之所;还有一次是西门庆与潘金莲在葡萄架旁投壶,卒至于在花园中白日宣淫。在这里,投壶还成了色之媒,事涉风月,语多猥亵,今且从略。总之,自然是与古礼大异其趣的。最值得注意的是西门庆众妻妾与西门庆之女西门大姐、来访的妓女李桂姐一同作耍,在这一次描写中,作者笑笑生安排的场面特具匠心,人物的表现很贴合各自的气质情性和地位出身。比如孟玉楼和李桂姐比赛,玉楼前夫家道殷实,闺中不难接触到投壶。李桂姐长于行院,送往迎来全靠迎合客人喜好,自然不可不会投壶。其姑母李娇儿一样是出身妓馆,后被西门庆赎身,不需赘言。玉楼输了之后,月娘对来迟的李瓶儿道:"孟三姐和桂姐投壶输了,你来替她投两壶儿。"与玉楼同理,瓶儿出身不差,前夫家中光景又好,于投壶也不是生手。月娘主母身份,大概不愿轻易下场,但也自无不会之理。金莲则出身寒微,本是温饱难及,可是前述她也是会投壶的。原来她自幼卖给王招宣府里,后又进了张大户的宅中,人本聪明,又着意习学,故而针指女红、品竹弹丝,更兼博弈百戏,没有不通的。只有孙雪娥,笑笑生安排的这段场面中,大概是最不可能下场投壶,甚至也许就是压根不会的角色。雪娥是西门庆前妻房中侍婢,后被西门收用,是家中地位高于使女又低于诸妾的人物——而且远不如庞春梅得宠。从投壶的性质看,游戏双方的身份要大致平齐,才合于主宾之礼。以李桂姐妓女的身份,因为受家主之宠,尚可以与孟玉楼抗礼,只是这位"四娘"孙雪娥,大概是不得与在场诸人——包括西门大姐,平等取乐的。以她的出身和经历,如果说不会投壶,也是完全合理的。这其中也可见些投壶的文化。

蹴　鞠

　　蹴鞠就是踢球,据传是黄帝创造,至迟在战国就已经流行。古代还有许多名目来称呼它,比如蹋(踏)鞠、蹴球、筑毬(球)、踢圆等。"蹴"、"踢"、"蹋"都是踢球的动作,"鞠"、"毬"、"圆"都指所用的球。从"鞠"和"毬"的字形就可以看出球的形制:最早是用毛结成,后来用毛填充皮囊而成。后来唐宋时期有了充气的皮球——传世的宋代蹴鞠图画证明其与今日足球相去不远,所以宋代而后,就有人把蹴鞠叫踢气球。

蹴鞠可以"练武士，知有材"，也即具有检验、锻炼士卒战斗素质的功用。作为军中之戏，能够"因嬉戏以讲练"，也就是寓战于乐，自然能广泛流传并在相当长的历史时期内葆有活力了。比如汉代出现了一部介绍这种运动的专书《蹴鞠》，后来被元人收在了《续后汉书》的兵书类中，列于战斗技巧之属。这一方面是史家尊重历史的事实，另外也体现了元代人对蹴鞠的认识。虽然早已不局限于军中，但它强身健体的因素仍然被当时人看重。

不止军队，上至皇帝，下到百姓，都对蹴鞠表现出了十足的喜爱。比如汉武帝有"鸡鞠之会"，在会上观赏专人蹴鞠。这些人大概是当时宠臣的宾客，也有些由宫廷豢养，地位类于俳谐倡优。唐昭宗有"打球供奉"，更是季世昏君不思整顿山河，只晓狗马玩物的产物了。《文选》注谈到鞠室（蹴鞠的场所）左高右平，正合于王者宫室的规制，所以说"蹴鞠亦有治国之象"。如此看，蹴鞠的格调倒颇不低，可惜这些王者绝少有能从中悟出治国之道的。公允地说，君王也是人，非要从游艺中体悟治国之道，莫如不要娱乐直接去干些正事。所以相较起来，倒是民间的蹴鞠活动更值得介绍。

蹴鞠胜极于唐宋。在宋代，出现了专门的民间踢球组织——圆社（踢圆的社团）。陈元靓有诗咏此，诗云："四海齐云社，当场蹴气球。作家偏著所，圆社最风流。"齐云社也就是圆社，盖取气球凌空时高入云霄之意。《水浒传》前两回中说宋徽宗好踢球，在端邸（其即位前为端王）时看中了"东京帮闲的圆社高二"——如今家家知名的高俅，喜爱他的蹴鞠本领，索了来作亲随。书中第二回表："高俅看时，见端王……穿一双嵌金线飞凤靴，三五个小黄门相伴着蹴气球。高俅不敢过去冲撞，立在从人背后伺候。也是高俅合当发迹,时运到来,那个气球腾地起来,端王接个不着,向人丛里直滚到高俅身边。那高俅见气球来,也是一时的胆量,使个鸳鸯拐,踢还端王……高俅拜道:'小的是何等样人,敢与恩王下脚。'端王道:'这是齐云社,名为天下圆。但踢何伤?'"后来道君皇帝登极御宇,潜邸诸人鸡犬升天,高俅也做了"殿帅府太尉职事"。先有了这般铺垫,方才引出林冲故事,叙此一段大文章。看来当日高太尉若没露出这一脚,豹子头未必是要上梁山的,一百单八将可就凑不齐喽。这一段故事虽是小说家语,其实倒也不尽为杜撰。高俅因蹴鞠而见幸,这是出于艺术的加工,但宋徽宗本人是雅好踢球,看宫人踢球为戏时有"近密被宣争蹴踘,两朋庭际角输赢"之句。但更有趣的是小说中的徽宗说出"这是齐云社,名为天下圆"的话,这一方面是作者设身处地为徽宗打造的应景语言,另一方面也可以看成是《水浒传》作者态度的显露:蹴鞠场上不分尊卑大小。稍绎历史,亲王之尊岂能入圆社与黎元为伍?以宋代皇族的亲民和徽宗本人的荒唐,这等事、这些话也是无论如何做不到、说不出的,故而这段故事虽然讲了皇帝,其实论的是民间。

大概是气球出现后,"鞠"的重量轻了,加之规则的变化,于是出现了女子蹴鞠。宫廷、阀阅、平民家还有妓馆,都可以看到蹴鞠的景象,前述的圆社就可以接纳女子。圆社中以技艺高下分诸色社员为各等级,最高者被称为校尉,其中就不乏女校尉。关汉卿有散曲【女校尉】单说女子蹴鞠之美:"蹴踘场中,鸣珂巷里,南北驰名,寰中可意。夹缝堪夸,胞声尽喜。那唤活,煞整齐。款侧金莲,微那玉体。唐裙轻荡,绣带斜飘,舞袖低垂。"

作为游艺,在玩乐中大概都有些采头,故而蹴鞠常常和诸多博戏并列。据传刘向依照蹴鞠的体制创造了弹棋,不知彼时的弹棋是否近似今天的"桌上足球"呢？思之亦发一笑。

樗蒲与打马

樗蒲也是赌博一种，约略在东汉就很流行。六朝人对它的来源就已不甚明了，说它是"老子入胡所作"的"外国戏"。老子当然是托辞，发明者不可考，大致不是本土创制的吧。樗蒲的玩法比较独特，需要有投子、棋子和棋盘。所谓投子，和今天所见骰子相仿，都是掷具。不过今天骰子大都是一对，而樗蒲的投子有五个，都是上黑下白的方体木块（后来用牙角）——所以樗蒲有别名"五木"、"玄白判"。拣两个投子，在白面刻上雉，黑面雕上犊，这样五个投子就有四个花色——黑、白、雉、犊。将五个投子一齐掷出，经过种种排列组合，分为十二种采，其中以"卢"、"白"、"雉"、"犊"为贵，而余者为"杂采"。所谓"贵采"，要求三个黑白投子的花色一致，两个雉犊投子图形一致。每一采对着相应的采数，决定着棋盘上棋子的进退。双方棋子相对摆开，根据所掷的采向终点行进，先到为胜。棋盘的形制，书中罕有图形，然而在今天的朝鲜半岛上似乎还有这种游艺的遗传，只需在互联网上搜索即不难见到。从投具——棋子、棋盘的组合和玩法看，樗蒲真和今日流行之"飞行棋"有些神似，然而两者棋盘又不相类——樗蒲棋盘有点像今日的跳棋。

《晋书》记载了宋武帝刘裕登基前与政敌刘毅相斗的史事，其中二人樗蒲争雄的片段可谓传神：群臣聚会东府樗蒲，一局的采头有数百万钱之巨。刘毅出手掷得雉采，高兴得"褰衣绕床"，叫嚣说："非不能卢，不事此耳。"意思是本来能掷个卢采，不过今天来个雉采就得了。雉采已经是仅次于卢采的贵采，之前下场诸人最高才不过犊采，所以刘毅几乎可以说稳赢了。之所以说"几乎"，因为此刻还有一个人没下场呢——刘裕在诸人中位最尊，当然最后下场要演大轴。其时二刘逢事必争个高下，刘毅在刘裕出手前就发这一番大言，自然有挑衅之意，而刘裕当即应战，毫不含糊就下场较量。他捋搓五个投子良久，口中说"老兄试为卿答"，意即老哥哥我来试试这个卢采！语罢掷子，"四子俱黑，其一子转跃未定"。四子是黑的，说明有三黑一犊，只要最后"转跃未定"的这个投子落到黑（犊）面，就是一个卢采！这时候大概怎么紧张也不为过，而刘裕是厉声大喝，结果投子真落到了黑面——卢采成了，成语"呼卢喝雉"就从此而来。于是刘裕气势上大大胜了一阵，把刘毅气得"面如铁色"，还要温声和言地服软。

樗蒲争先毕竟和比拼文才武略不同，好像有点"没谱儿"。虽然该像掷骰子一样也是有技法可以训练的，但五个投子毕竟难练，且以刘裕的身份大概也不会练有这种技巧，所以这番临事全靠手气。没准是刘裕的胆气壮，所以手气就特别旺吧，而且不光能赢钱，赌江山也是赢家。可樗蒲毕竟是小道，在王者手里也不过是天下争衡的一个小插曲，刘裕成为定乱代兴之君，更不是靠呼卢喝雉。晋代大司马陶侃曾经检视一众吏员，看到人藏有樗蒲的器具，于是发了一番议论："樗蒲，老子入胡所作，外国戏耳……诸君国器，何以为此？若王事之暇，患邑邑者，文士何不读书？武士何不射弓？"简要解释，就是诸位都是谋国之士，不要为这类无益之事牵扯精力。陶侃生当国家板荡之际，有戮力王室之志，所以不主张樗蒲娱乐。后世也不乏人对樗蒲丧志这一点不断发挥，大概博弈之属，究竟是闲暇的消遣，以之娱情遣性自无不可，沉迷竟日、丧财亡身，就真是末流了。

说到对博弈沉迷竟日，大抵不是好事，但也真有人寓一代兴衰、系千秋感慨于个中，这样我们便也不合以众人视之，轻慢唐突。

"予性喜博,凡所谓博者皆耽之,昼夜每忘寝食。"这话出自李清照,不难理解:我喜爱赌博,只要是赌博,不论什么玩法都耽溺其中。看来易安居士是个酷嗜博弈以至于"日夜兼修"的人。她对博弈的本质看得很清楚:"夫博者,无他,争先术耳。"这一点在围棋一节已经谈及,更值得注意的是她不光自己玩,还想着要让这些东西传之后世,于是"画影图形"作成了一部《打马图经》。这部书其实别有怀抱,但如今我们权略过作者幽微的心曲,注目打马这种游艺。

打马也是一种博戏,大约在唐宋时期出现并风靡于世,迅速取代了樗蒲的地位。我们在第二节投壶中介绍过,投壶的玩法是投出壶矢,赢一局得一马,即"投筹得马"——"筹马(码)"大概就是从此中化出。"马"本是衡量投壶双方胜负手的工具,后来在赌博中可以用来代表一定数量的货币。而打马之"马"指的是棋子,大概又是从这种代币中变化过来的。《图经》中记载了三种打马棋子:首先是"关西马",有十一个棋子,一"将"十"马";然后是"依经马",没有"将",只有二十个"马";最后是"宣和马",是宣和时人杂取关西马和依经马而作。棋子外,还有棋盘来行棋、三枚骰子来作掷具,玩法和樗蒲一般是掷采行棋——所以很多人认为打马就是从樗蒲来的。三种棋子对应的"行移罚赏"(此指玩法)和棋盘互有同异,此处且不详表,单说说棋子和骰子的形制。棋子做成铜钱模样,正面画马,背面刻两字或四字的马名,称为"打马钱"或"将马钱"。骰子和今天无大不同,都是六面,三个骰子组成五十六种采。表到这里,要插几句闲话:胡适先生曾写过《麻将》一文,认为麻将的前身是"马吊"——明代流行的一种纸牌。这文章里的推断是很有说服力的,而有人认为马吊当也不是凭空而生、无傍之作——有可能就是打马的后代。

爱好打马的名士尽多，玩出名堂的也不少，然而风流境界都不及前面谈到的李清照——这真是一位横绝千古的扫眉才子。前论《图经》是有寄托而作，现在就谈谈寄托。"自南渡来流离迁徙，尽散博具，故罕为之，然实未尝忘于胸中也……乍释舟楫而间轩窗，意颇适然。更长烛明，奈此良夜何？于是博弈之事讲矣。"她说南渡以来，赌具虽然遗失，心中却一刻没曾忘了，一宵良夜，正好讲讲赌博之事。词人彼时处境，当是身经丧乱之际，以弱女子之资，保身不暇、果腹无门。在这种条件下，还如此沉醉在赌博游戏中，钟情未免太过了吧？然而在《打马赋》中，她写道："佛狸定见卯年死，贵贱纷纷尚流徙，满眼骅骝杂骓骃。时危安得真致此。木兰横戈好女子，老矣谁能志千里，但愿相将过淮水。"意即侵略者不久就会败亡，但中国时局如此，自己愿作木兰一样的女英雄北靖中原，无奈年华老去。能指望的只有朝廷将帅，但愿能有一天随他们渡过淮水北返家乡。原来易安在棋盘上经略的，竟是日夜想念的故土。悲夫！古来棋枰战场之喻不在少数，而李清照真的在此中蓄养着恢复之思。妇人女子之身有吞吐山河之志，这是她的第一层寄托。

第二层藏在《图经》序言的两端。开头说："慧则通，通则无所不达。专则精，精则无所不妙。"结尾云："不独施之博徒，十足贻之好事。"这是易安在阐发自己从博弈中悟出的义理。

第三层是最浅显也最幽伏的寄托。读者一看到易安的爱国热忱和精妙义理，大概已经把打马这种不入大雅之堂的玩物本身抛到一边，只想着女词人伟大的精神境界和天才的发挥创造了。然而她之所以要通过打马寄托自己的幽微心曲，还不是因为喜爱得昼夜不能释手吗？李清照实在是自己爱玩儿,所以才能从玩中有这么多怀抱和阐发。世上自有一种才人,见到心爱的物事就不能自已。谢安宰相之器而不敢多观声伎,就是怕自己太痴迷音乐,沉潜其中消磨了英雄志气。如顾虎头(恺之)之痴绝、阮步兵(籍)之任诞、关汉卿之浪荡、袁简斋(枚)之适性,耽于一物确实出于款款真情。易安对博弈的这种迷恋,实在已经超越了博弈争先的趣味,而进入了更高一层审美的境界。有这三层境界,无怪有人以神品评价《打马图经》。读者因此莫将词人当作世上不图上进、只识玩乐人间的轻薄子看待。

历来人物记录打马,格调高的也不过是赞赏依经马的雅致,大约也不出《图经》"赏罚互度"、"每事作数语"的樊笼。唯李清照本已深情,复以精诚之思、黍离之慨去观照,当然能别开生面,游戏而具大神通。博弈之章至此当尽篇幅,愿以易安《打马赋》作结,与围棋首尾而应,见我古人游艺之真精神。

岁令云徂,卢或可呼。千金一掷,百万十都。樽俎具陈,已行揖让之礼;主宾既醉,不有博奕者乎!打马爰兴,樗蒲遂废。实博奕之上流,乃闺房之雅戏。齐驱骥骤,疑穆王万里之行;间列玄黄,类杨氏五家之队。珊珊佩响,方惊玉蹬之敲;落落星罗,急见连钱之碎。若乃吴江枫冷,胡山叶飞;玉门关闭,沙苑草肥。临波不渡,似惜障泥。或出入用奇,有类昆阳之战;或优游仗义,正如涿鹿之师。或闻望久高,脱复庾郎之失;或声名素昧,便同痴叔之奇。亦有缓缓而归,昂昂而出。鸟道惊驰,蚁封安步。崎岖峻坂,未遇王良;蹋促盐车,难逢造父。且夫丘陵云远,白云在天,心存恋豆,志在着鞭。止蹄黄叶,何异金钱。用五十六采之间,行九十一路之内。明以赏罚，核其殿最。运指麾于方寸之中，决胜负于几微之外。且好胜者人之常情，小艺者士之末技。说梅止渴，稍苏奔竟之心；画饼充饥，少谢腾骧之志。将图实效，故临难而不回；欲报厚恩，故知机而先退。或衔枚缓进，已逾关塞之艰；或贾勇争先，莫悟阱堑之坠。皆因不知止足，自贻尤悔。况为之不已，事实见于正经；用之以诚，义必合于天德。故绕床大叫，五木皆卢；沥酒一呼，六子尽赤。平生不负，遂成剑阁之师；别墅未输，已破淮淝之贼。今日岂无元子，明时不乏安石。又何必陶长沙博局之投，正当师袁彦道布帽之掷也。

辞曰：

佛狸定见卯年死，贵贱纷纷尚流徙，满眼骅骝杂骈骊。时危安得真致此。木兰横戈好女子，老矣谁能志千里，但愿相将过淮水。

原典选读

一

上^①疾笃，虑晏驾^②之后，皇后临朝，江安懿侯王景文^③以元舅^④之势，必为宰相，门族强盛，或有异图。己未，遣使赍^⑤药赐景文死，手敕曰："与卿周旋，欲全卿门户，故有此处分。"敕至，景文正与客棋，叩函看已，复置局下，神色不变，方与客思行争劫^⑥。局竟，敛子内奁毕，徐曰："奉敕^⑦见赐以死。"方以敕示客……曰："若见念者，为我百口计。"乃作墨启答敕致谢，饮药而卒。赠开府仪同三司。

——《资治通鉴》

敕下之夜，景文正与客棋。扣函看，复还封置局下，神色怡然不变。方与客棋思行争劫竟，敛子内奁毕，徐谓客曰："奉敕见赐以死。"方以敕示客……酌谓客曰："此酒不可相劝^⑧。"自仰而饮之，时年六十。

——《南史》

---

① 上：指刘宋明帝。
② 晏驾：车驾晚出，帝王死亡的讳辞。
③ 王彧字景文，刘宋时权臣，出身琅琊王氏。
④ 元舅：国之长舅。明帝娶王彧之妹。
⑤ 赍：拿着、带着。
⑥ 劫：围棋术语。
⑦ 奉敕：帝王诏命。
⑧ 毒酒，故不可相劝。

二

　　符坚强盛,率众号百万,次^①于淮、肥^②。京师震恐,加安征讨大都督。玄^③入问计,安夷然无惧色,答曰:"已别有旨。"既而寂然。玄不敢复言,乃令张玄重请。安遂命驾出山墅,亲朋毕集。方与玄围棋赌别墅,安常棋劣于玄,是日玄惧,便为敌手,而又不胜。安顾谓其甥羊昙曰:"以墅乞汝。"安遂游步,至夜乃还。指授将帅,各当其任。玄等既破坚,有驿书至,安方对客围棋。看书既竟,便摄放床上,了无喜色,棋如故。客问之,徐答云:"小儿辈遂已破贼。"既罢还内,过户限^④,心喜甚,不觉屐齿之折。

——《晋书·谢安传》

---

① 次:驻军。
② 淮水、肥水,东晋北疆屏障。
③ 玄:指谢玄,字幼度,谢安之侄,淝水之战北府统帅。
④ 门限:门槛。

酒令灯谜、藏钩射覆、说书曲艺

酒　令

中国酒文化源远流长、博大精深，明宣宗《酒谕》说："非酒无以成礼，非酒无以成欢。"酒中承载着丰富的精神和社会意义，酒令作为酒文化的重要组成部分，同样有着深厚的历史渊源和文化内涵。

据考证，西周时期即出现了"酒令"，此时指的是为防止人们饮酒过度、酒后失仪而设置的监督官。《诗·小雅·宾之初筵》中有"凡此饮酒，或醉或否，既立之监，或佐之史"的诗句，"监"、"史"就是酒令。此时的"酒令"与后来活跃气氛、佐酒助兴的"酒令"并不相同。春秋战国时，有"当筵歌诗"、"即席作歌"的风俗，已经颇似后世意义上的酒令。至汉代，《后汉书·贾逵传》载："（逵）尝作诗、颂、诔、书、连珠、酒令凡九篇。"唐宋两代，酒令开始普遍流行，它也成了考验文人士子才思学识的一种方式。白居易有"闲征雅令穷经史，醉听清吟胜管弦"句，韩愈也有诗："长安众富儿，盘馔罗膻荤。不解文字饮，惟知醉红裙。"可见，在文士心中，不能行酒令，是才疏学浅、值得羞愧的。明清时期酒令文化达到了繁荣鼎盛的阶段，无论内容还是形式都极为丰富。世间万物，举凡人物事物、花草虫鱼、曲牌诗词、中药蔬果皆可入令。不仅文人雅士行酒令，百姓细民也热衷于此。《红楼梦》第四十四回刘姥姥说："我们庄家人闲了，也常会几个人弄这个（指酒令），但不如你们说的这样好听。少不得我也试一试。"可见酒令的风靡。

　　酒令依据内容或行令方式分法各异,但大体上不外通令与雅令两种。通令是击鼓传花、抽签、划拳等相对简单易行、热闹通俗的酒令,多流行在普通百姓当中,挥臂抢拳、夹杂吆喝笑嚷,容易形成热烈欢快的气氛。筹令是风靡一时的一种通令,筹在先秦时期即已经出现,本是投壶所用的器具,白居易"花时同醉破春愁,醉折花枝当酒筹",欧阳修《醉翁亭记》"射者中,弈者胜,觥筹交错",指的就是早期投壶游戏中的筹。至明清之际,筹又有不同,玩法已不再是追求投中,而是由筒中随机抽取,类似于抽签。筹的材质一般为竹简、木条、兽骨,也有金属或象牙,往往刻有诗词、人物、花鸟等,注有相应的饮酒对象及数量,放在筒中,行令者随机摇动,客观公允,简单易行。

　　比之通令,雅令就多了许多讲究。宋窦苹《酒谱·酒令》:"幽人贤士,既无金石丝竹之玩,唯啸咏文史,可以助兴,故曰:'闲征雅令穷经史,醉听新吟胜管弦。'"这指的显然是雅令。文人士子,酒宴之上不忘风雅,逞才斗智、穷经征史,别有趣味。雅令形式丰富,四书令、诗令、回文重叠令、诗牌令都是常见的雅令。

　　明清时期,四书是科举取士的重要考核内容,士子往往对四书内容极为谙熟,四书令也因此广泛流行。《重论文斋笔录》中记载了清代嘉庆年间的两则四书令。该令要求每人说出两句《四书》中的句子,上句的末字和下句的首字连接,一则要求合成一种中药名,一则要求合成一个县名。

　　中药名,如:

　　　　颜路请子之车,前日于齐——车前
　　　　道不远人,参也鲁——人参
　　　　长一身有半,夏日则饮水——半夏

譬诸草木,通国皆称不孝焉——木通

与其弟辛,夷子思以易天下——辛夷

县名,如:

事孰为大,兴于《诗》——大兴

苟日新,阳货欲见孔子——新阳

教者必以正,定而后能虑——正定

不俟驾而行,唐虞禅——行唐

诗可以兴,山径之蹊间——兴山

还有一些雅令,结合了拆字和诗词文章,这种拆字令对游戏者的学识修养要求较高。若非熟读经史,思维敏捷,行这种酒令,显然是要出丑的。袁枚《随园诗话》载:"福建歌童名点点者,柔媚能文。有客行酒政(即酒令),要一句唐诗、一句曲牌名,曰:'闲看儿童捉柳花,《合手拿》。'点点应声曰:'有约不来过夜半,《奴心怒》。'……合座噱口,以为绝对。"这一则酒令,不仅要求唐诗与曲牌意思关联,且曲牌需符合拆字要求,"合手"为"拿","奴心"为"怒",歌童对得十分巧妙。

雅令难作,还在于一些酒令往往是令官随机所想,即出即作,且纷繁复杂。《红楼梦》第六十二回"憨湘云醉眠芍药裀 呆香菱情解石榴裙"里即有一套随机所想的新酒令,湘云酒令洒脱旷达,率真活泼。这套酒令既符合人物性格,又暗示二人各自命运,颇为新奇精巧。

湘云便说:"酒面要一句古文,一句旧诗,一句骨牌名,一句曲牌名,还要一句《时宪书》上的话,共总凑成一句话。酒底要关人事的果菜名。"众人听了,都笑说:"惟有他的令也比人唠叨，倒也有意思。"便催宝玉快说。宝玉笑道："谁说过这个，也等想一想儿。"黛玉便道："你多喝一钟，我替你说。"宝玉真个喝了酒，听黛玉说道："落霞与孤鹜齐飞，风急江天过雁哀，却是一只折足雁，叫的人九回肠，这是鸿雁来宾。"说的大家笑了，说："这一串子倒有些意思。"黛玉又拈了一个榛穰，说酒底道："榛子非关隔院砧，何来万户捣衣声。"

湘云所出的这个酒令当真麻烦至极，对者不仅要将古文、古诗、骨牌名、曲牌名、历书上的话和有典可循的当席果菜名凑齐，还要使它们能够相互关联，构成整体，不能生拉硬拽、不成片段。这对行酒令者的学识和反应力都是不小的考验。黛玉替宝玉对的这一套中，"落霞与孤鹜齐飞"是古文，来自王勃《滕王阁序》"落霞与孤鹜齐飞，秋水共长天一色"；"风急江天过雁哀"是古诗，陆游《寒夕》有"风急江天无过雁，月明庭户有疏砧"句，此处为反用此典；"却是一只折足雁"中"折足雁"是骨牌名；"叫的人九回肠"一句"九回肠"是曲牌名，源出自司马迁《拜任少卿书》"肠一日而九回"；"鸿雁来宾"是旧时历书中语，出自《礼记·月令》"季秋之月，鸿雁来宾"。酒底"榛子"二句，"榛"与"砧"音相同而义不同，故曰"非关"，又《左传·庄公二十四年》"女贽，不过榛、栗、枣、脩，以告虔也"。以席上果菜说人事。末句源自李白《子夜吴歌》"长安一片月，万户捣衣声"。黛玉的酒令全以"雁"来组织裁选，颇为哀感凄凉。

大家轮流乱划了一阵，这上面湘云又和宝琴对了手，李纨和岫烟对了点子。李纨便覆了一个"瓢"字，岫烟便射了一个"绿"字，二人会意，各饮一口。湘云的拳却输了,请酒面酒底。宝琴笑道:"请君入瓮。"大家笑起来,说:"这个典用的当。"湘云便说道:"奔腾而砰湃,江间波浪兼天涌,须要铁锁缆孤舟,既遇着一江风,不宜出行。"说的众人都笑了,说:"好个诌断了肠子的。怪道他出这个令,故意惹人笑。"又听他说酒底。湘云吃了酒,拣了一块鸭肉呷口,忽见碗内有半个鸭头,遂拣了出来吃脑子。众人催他:"别只顾吃,到底快说了。"湘云便用箸子举着说道:"这鸭头不是那丫头,头上那讨桂花油。"众人越发笑起来,引的晴雯、小螺、莺儿等一干人都走过来说:"云姑娘会开心儿,拿着我们取笑儿,快罚一杯才罢。怎见得我们就该擦桂花油的? 倒得每人给一瓶子桂花油擦擦。"

再看湘云自己对的这一套,"奔腾而砰湃"是古文,源自欧阳修《秋声赋》"初淅沥以萧飒,忽奔腾而砰湃"。第二句古诗来自杜甫《秋兴》"江间波浪兼天涌,塞上风云接地阴"。"铁索缆孤舟"是骨牌名。"一江风"是曲牌名。"不宜出行"是旧时历书中语。"这鸭头"二句:"鸭头"与"丫头"谐音,以席上果菜说人事,巧妙又诙谐,故而惹得众人都笑了。整个酒令气势壮阔,颇为符合湘云洒脱的性格。湘云对了这一套酒令还没完,醉卧芍药圃时梦中犹能对出绝妙酒令来。

众人看了,又是爱,又是笑,忙上来推唤挽扶。湘云口内犹作睡语说酒令,唧唧嘟嘟说:"泉香而酒冽,玉碗盛来琥珀光,直饮到梅梢月上,醉扶归,却为宜会亲友。"众人笑推他,说道:"快醒醒儿吃饭去,这潮凳上还睡出病来呢。"湘云慢启秋波,见了众人,低头看了一看自己,方知是醉了。

这一套酒令是三则酒令中气氛最轻松愉快的一则,也最符合酒令佐酒助兴的功能。"泉香而酒冽"出自欧阳修《醉翁亭记》"酿泉为酒,泉香而酒冽"。"玉碗盛来琥珀光"是李白诗《客中作》中句子:"兰陵美酒郁金香,玉碗盛来琥珀光。""梅梢月上"是骨牌名。"醉扶归"是曲牌名。"宜会亲友"是旧时历书中语。有明月,有美酒,还有梅花乍开、夜色如水,良辰好景不与亲友纵情畅饮岂不辜负这天地间的馈赠!睡梦中犹能对出这等好令,可见湘云才气斐然,若众人晚些叫醒湘云,想必还会有一个风雅绝妙的酒底吧!

清人周长森为《酒令丛抄》作序时指出,酒令"四宜":"和亲康乐,少长咸集,标新领异,古语缤纷,于岁时之燕宜;觥筹交错,左右秩之,欢伯联情,口无择言,于宾僚之会宜;良宵雨霁,奇葩吐芬,同调写宜,谐谑间作,于花月之赏宜。"想要对出好酒令既要才思敏捷、又要博览群书,诗词经史、小说戏曲、俗语谐语、自然风物都要有所了解。这也督促人们要博闻强识、勤学善思,否则行酒令时可就要尴尬出丑,只能喝个酩酊大醉了。

灯 谜

我国古代文字游戏极多,除上面谈到的酒令外,灯谜也是一种历史非常悠久、影响极为广泛的文字游戏。和雅令一样,灯谜对猜谜者的学识和才思要求都比较高,但雅令出令者提出要求限定以后,对的人只要保证形式上符合要求,内容尚能自己组织发挥,灯谜则相对苛刻得多,出谜者提出谜面时已经有了明确的谜底,猜谜者只能依据给出的"蛛丝马迹"寻求琢磨,刘勰《文心雕龙》里说:"谜者,回互其辞,使昏迷也。"灯谜更像是出谜者和猜谜者智力的博弈。

灯谜起源于先秦两汉时期的廋(sōu)辞和隐语,《世说新

语·捷悟》中记载了一则有趣的字谜,这是可见最早的一则
完整灯谜:

> 魏武尝过曹娥碑下,杨脩(修)从,碑背上见题作"黄
> 绢幼妇,外孙虀臼"八字。魏武谓脩曰:"解不?"答曰:
> "解。"魏武曰:"卿未可言,待我思之。"行三十里,魏武乃
> 曰:"吾已得。"令脩别记所知。脩曰:"黄绢,色丝也,于
> 字为绝。幼妇,少女也,于字为妙。外孙,女子也,于字
> 为好。虀臼,受辛也,于字为辞。所谓'绝妙好辞'也。"
> 魏武亦记之,与脩同,乃叹曰:"我才不及卿,乃觉三
> 十里。"

曹操曾经路过曹娥碑,杨修随行,碑背上有"黄绢幼妇,外孙
虀臼(jī jiù,捣姜蒜等的器具)"八字。曹操问杨修说:"你知
道这是什么意思么?"杨修答曰:"知道。"曹操说:"你先不要
说,让我想一想。"行了30余里,曹操说:"我明白了。黄绢,
有颜色的丝,是"绝"字;幼妇,是少女,是一个"妙"字;外孙,
女子也,是一个"好"字;虀臼,受辛也,是一个"辤"(繁体的
"辞"字)字,正是'绝妙好辤'四个字啊!"这则字谜正是用了
拆字法,将"绝妙好辤"四个字按偏旁部首拆成"黄绢幼妇,外
孙虀臼"来加以解释,杨修才思敏捷,一看便解,曹操在行了
30里后才猜到。

到了宋代,"谜"与"灯"开始结缘,将谜写在灯上供人猜
射渐渐成为惯例。宋代周密《武林旧事》里记载:"又有以绢
灯剪写诗词,时寓讥笑,及画人物,藏头隐语,及旧京谑语,戏
弄行人。"猜灯谜已经开始成为非常流行的休闲娱乐活动了,
许多文学大家也是猜制灯谜的高手。

《鸡肋编》还有个故事:苏轼有一个好朋友孙贲,非常惧

内。有官妓善于猜灯谜,苏轼就说:"蒯通劝韩信反,韩信不肯反。"这个官妓想了很久说:"不知道猜得对不对,但是我不敢说。"孙贲让她尽管说,于是这官妓说,这个谜底正是"怕负汉"。苏轼大喜,赏赐了她很多东西。苏轼所出的这则灯谜正是以"怕负汉"谐音"怕妇汉",诙谐幽默,揶揄孙贲惧内。

苏门四学士之一的秦观在制谜上也颇得其师真传。《泊宅编》载:"秦观字少游,尝眷蔡州一妓陶心者,作《浣溪纱》,词中二句'缺月向人舒窈窕,三星当户照绸缪'。""缺月"如钩,恰如一个"乚"形,"三星"犹三点,正是一个"心"字,这句词暗合佳人名字,巧妙文雅,可见少游不仅是词中圣手,还是制谜高手。

猜灯谜的风潮持续不衰,尤其元宵之际,大小城镇张灯结彩,男女老幼走上接头,赏灯猜谜,热闹非凡。明代李开先记载:"宋元以来,通都大市,每于元夕,励张鼓乐,罗列华筵,灯火辉不夜之城,壶觞泻如渑之酒。例用主谜之一人,出片纸书谜其上,数人传播里巷。无长少喧聚相猜,中则予纸请入坐,上座贺以酒,虽穷乡偏邑亦然。"猜制灯谜已经成了市民阶层十分流行和喜欢的游戏了。

到了明清之际,灯谜发展更是达到繁荣鼎盛阶段,专门的谜书如《黄山谜》、《廋辞四十笺》大量出现,留下了许多精妙的灯谜,如冯梦龙编的《黄山谜》中有一则"上无半片之瓦,下无立锥之地,腰间挂着一个葫芦,倒有些阴阳之气",谜底正是一个"卜"字,象形又有会意,令人拍案称奇。明清小说如《红楼梦》、《聊斋志异》、《醒世恒言》、《镜花缘》中都有关于灯谜的描写。庚辰本《红楼梦》第二十二回"听曲文宝玉悟禅机 制灯迷贾政悲谶语"中的灯谜不仅巧妙,而且暗含深意。

贾母因说:"你瞧瞧那屏上,都是他姊妹们做的,再

猜一猜我听。"贾政答应,起身走至屏前,只见头一个写道是:

能使妖魔胆尽摧,身如束帛气如雷。一声震得人方恐,回首相看已化灰。

贾政道:"这是炮竹嗄。"宝玉答道:"是。"贾政又看道:

天运人功理不穷,有功无运也难逢。因何镇日纷纷乱,只为阴阳数不同。

贾政道:"是算盘。"迎春笑道:"是。"又往下看是:

阶下儿童仰面时,清明妆点最堪宜。游丝一断浑无力,莫向东风怨别离。

贾政道:"这是风筝。"探春笑道:"是。"又看道是:

前身色相总无成,不听菱歌听佛经。莫道此生沉黑海,性中自有大光明。

贾政道:"这是佛前海灯嗄。"惜春笑答道:"是海灯。"

贾政心内沉思道:"娘娘所作爆竹,此乃一响而散之物。迎春所作算盘,是打动乱如麻。探春所作风筝,乃飘飘浮荡之物。惜春所作海灯,一发清净孤独。今乃上元佳节,如何皆作此不祥之物为戏耶?"心内愈思愈闷,因在贾母之前,不敢形于色,只得仍勉强往下看去。只见后面写着七言律诗一首,却是宝钗所作,随念道:

朝罢谁携两袖烟,琴边衾里总无缘。晓筹不用鸡人报,五夜无烦侍女添。

焦首朝朝还暮暮,煎心日日复年年。光阴荏苒须当惜,风雨阴晴任变迁。

贾政看完,心内自忖道:"此物还倒有限。只是小小之人作此词句,更觉不祥,皆非永远福寿之辈。"想到此处,愈觉烦闷,大有悲戚之状,因而将适才的精神减去十分之八九,只垂头沉思。

元春一度贵为皇妃,但暴病早亡,贾府也失去有利依靠,繁华成空,正如爆竹,煊赫热闹一时,终将归于落寞寂静;迎春诨名"二木头",性格懦弱少决断,最终误嫁"中山狼",一生如算盘,任人摆布、受人拨弄;探春精明果敢,向往广阔天地,但既是庶出、更身为女子,无法掌握自己的命运,最终也如断线风筝一样远嫁他乡;惜春见侯门锦绣荣华,又见大厦倾颓,终于看透世态炎凉,参悟浮华表象,青灯古卷,唯余佛灯相伴余生。这里的灯谜已经不只是休闲消遣的游戏,它们不仅文辞雅丽,更带有深厚的隐喻色彩,与《红楼梦》故事整体紧密相连,可见作者曹雪芹的匠心独运。

藏　钩

《周礼》:"以飨宴之礼,亲四方之宾客。"早在周代,宴饮就形成了一系列严格的礼仪,这使得宴饮在礼的约束下规范有度,与此同时,人们也将许多游艺活动带进宴饮当中,使宴饮活泼有趣,热闹喜庆。这类游艺活动既有相对文雅一些的文字游戏,也有藏钩这类考验表演与配合,甚至带有一定神秘色彩的猜射游戏。

藏钩也叫藏弢(kōu)、藏阄。关于藏钩的起源,有一个有趣的故事,《汉书·外戚传》载:昭帝母赵婕妤貌美而生有异象,双手皆拳,不能伸展,直到武帝亲手将她的拳头打开,得到一枚玉钩,赵婕妤由此备受恩宠,藏钩游戏也开始流行起来。

相比灯谜酒令这类对游戏者学识反应要求都比较高的文字游戏,藏钩的玩法相对简单一些。参与游戏的人分为两组,如果人数为奇数不能平分时,多出的一人可以像飞鸟一样,徘徊在两组当中。其中一组人暗相传递,将钩藏在一人的某只手中,对方一组来猜钩藏在何人的哪一只手中。藏钩游戏的渊源与女子有关,最初流行也多在闺闱当中。古代每月二十九日为上九,初九日为中九,十九日为下九,每月十九日闺阁女子往往置酒玩乐,"故女子于是夜为藏钩诸戏,以待月明,至有忘寐达曙者"。女子为阴,这一日也名为"阳会",取阴阳和合之意。《孔雀东南飞》中焦仲卿妻临别时对小姑道:"初七及下九,嬉戏莫相忘。"初七指七月初七,女子拜月乞巧,下九即每月十九日,希望小姑藏钩游戏的时候不要忘了自己。

唐代以后,藏钩不再局限于下九之日,并且成为宴饮当中一种十分流行的游戏,猜错即罚酒,猜对则对方饮酒。诗词中也有大量关于宴饮时藏钩的记载,如李商隐无题诗中有"隔座送钩春酒暖,分曹射覆蜡灯红"句;《代应二首》中有"昨夜双钩败,今朝百草输。关西狂小吏,惟喝绕床卢"句。前者是藏钩时与佳人心有灵犀、情愫暗生的旖旎,后者则是输掉游戏的沮丧。岑参《敦煌太守后庭歌》有"美人红妆色正鲜,侧垂高髻插金钿。醉坐藏钩红烛前,不知钩在若个边"。唐代诗人张说《赠崔二安平公乐世词》有"十五红妆侍绮楼,朝承握槊夜藏钩。君臣一意金门宠,兄弟双飞玉殿游";李白《宫中行乐词》有"更怜花月夜,宫女笑藏钩"。清人朱彝尊更有多首词描绘了宴饮时藏钩的热闹情景,《思越人》词中有"笑捻画裙青案,底教抬纤手藏钩";《折桂令》词中有"唤十五女青蛾对酒,点两三条红蜡藏钩"句。《钗头凤·藏钩》描写尤其细致有趣:

　　　　华筵半,银灯灿,玉钩纤手陈青案,传言快,分曹待,暗将心事,把秋波卖,在,在,在。

　　番番换,低低唤,个侬翻被人偷算。三杯外,含娇态,不应输与,笑捻衣带,再,再,再。

佳人美酒,欢声笑语,想来必定十分热闹有趣。若想将藏钩游戏猜得准确,一定要能够善意察言观色,从对方神态动作中寻找蛛丝马迹,以求一猜即中。唐代段成式《酉阳杂俎》中记载时人高映善于猜谜,在 50 余人的藏钩游戏中也能十中其九,大家都怀疑他有奇门异术,高映则说无非是要注意仔细观察众人言语表情,动作神态,"若察囚视盗"也。有时为了蒙蔽猜射者,藏钩一方还会配合表演,以期迷惑对方。晋人庾阐《藏钩赋》:"钩运掌而潜流,手乘虚而密放。示微迹而可嫌,露疑似之情状,辄争材以先叩,各锐志于所向。"说的就是这种情况。这时候不仅要善于观察,还要善于分析辨别。这样看来,要想成为藏钩高手,也不是一件容易的事啊。

射　覆

同为猜射类游戏,比之藏钩,射覆就要难得多了。《红楼梦》第六十二回,宝玉、平儿生日,众姐妹聚会玩乐,各自在纸条上写了想玩的游戏,投入瓶中抓阄:

　　平儿向内搅了一搅,用箸拈了一个出来,打开看,上写着"射覆"二字。宝钗笑道:"把个酒令的祖宗拈出来。'射覆'从古有的,如今失了传,这是后人纂的,比一切的令都难。这里头倒有一半是不会的,不如毁了,另拈一个雅俗共赏的。"

可见射覆原本并非后来流行的文字游戏,明清之际的射覆和它原初产生时的规则已经相去甚远了。"射覆"最早见于《汉书·东方朔传》，汉宫之中为了防止宫女放荡，特将蜥蜴经某种工艺加工后涂在宫女手臂上，以起到标志的作用，故而蜥蜴又称守宫。汉武帝将一条蜥蜴藏在容器下，令众人来猜，大家都猜不到是什么，唯有东方朔利用占卜之法猜中，再猜他物，亦能反复猜中，这故事听起来颇有些神秘色彩。早期关于射覆的记载也多见于"方术部"，射覆高手往往都是有异能的神秘人物，这时候的射覆颇类似于《西游记》中孙悟空在车迟国与鹿力大仙、羊力大仙、虎力大仙斗法"隔板猜枚"，没有点神通是决计不行的。

到了唐代，射覆已经发生了很大变化，很多诗句中开始出现关于酒宴上射覆玩乐的描写，李商隐无题诗中"隔座送钩春酒暖，分曹射覆蜡灯红"，写的就是大家其乐融融藏钩、射覆的情景，此时射覆已经由原来颇为神秘的斗法变为猜谜类的文字游戏了，出谜的人心里想着"酒"这个字，然后提供给猜谜者两个相关的字"春"、"浆"，猜谜者心领神会，猜出答案。具体的射覆游戏中，出题者还可以自行加入要求以增添游戏难度，也可以限定猜射对象的范围，来降低游戏难度，一般来说，猜射中有相互关系的字是指那些同一句诗词当中或能构成成语的，日常生活中惯用的词语是不能算作相关字的。《红楼梦》第六十二回"憨湘云醉眠芍药裀　呆香菱情解石榴裙"中就描写了极其有趣的一场射覆游戏。

　　宝琴笑道："只好室内生春，若说到外头去，可太没头绪了。"探春道："自然。三次不中者罚一杯。你覆，他射。"宝琴想了一想，说了个"老"字。香菱原生于这令，一时想不到，满室满席都不见有与"老"字相连的成语。湘云先听了，便也乱看，忽见门斗上贴着"红香圃"三个字，便知宝琴覆的是"吾不如老圃"的"圃"字。见香菱射不着，众人击鼓又催，便悄悄的拉香菱，教他说"药"字。黛玉偏看见了，说："快罚他，又在那里私相传递呢。"哄的众人都知道了，忙又罚了一杯，恨的湘云拿筷子敲黛玉的手。于是罚了香菱一杯。下则宝钗和探春对了点子。探春便覆了一个"人"字。宝钗笑道："这个'人'字泛的很。"探春笑道："添一字，两覆一射也不泛了。"说着，便又说了一个"窗"字。宝钗一想，因见席上有鸡，便射着他是用"鸡窗""鸡人"二典了，因射了一个"埘"字。探春知他射着，用了"鸡栖于埘"的典，二人一笑，各饮一口门杯……

大家轮流乱划了一阵，这上面湘云又和宝琴对了手，李纨和岫烟对了点子。李纨便覆了一个"瓢"字，岫烟便射了一个"绿"字，二人会意，各饮一口……

底下宝玉可巧和宝钗对了点子。宝钗覆了一个"宝"字，宝玉想了一想，便知是宝钗作戏指自己所佩通灵玉而言，便笑道："姐姐拿我作雅谑，我却射着了。说出来姐姐别恼，就是姐姐的讳'钗'字就是了。"众人道："怎么解？"宝玉道："他说'宝'，底下自然是'玉'了。我射'钗'字，旧诗曾有'敲断玉钗红烛冷'，岂不射着了。"湘云说道："这用时事却使不得，两个人都该罚。"香菱忙道："不止时事，这也有出处。"湘云道："'宝玉'二字并无出处，不过是春联上或有之，诗书纪载并无，算不得。"香菱道："前日我读岑嘉州五言律，现有一句说'此乡多宝玉'，怎么你倒忘了？后来又读李义山七言绝句，又有一句'钗无日不生尘'，我还笑说他两个名字都原来在唐诗上呢。"众人笑说："这可问住了，快罚一杯。"湘云无语，只得饮了。大家又该对点的对点，划拳的划拳。这些人

> 因贾母王夫人不在家，没了管束，便任意取乐，呼三喝四，喊七叫八。满厅中红飞翠舞，玉动珠摇，真是十分热闹。

玩游戏前宝琴先讲好了规则要"室内生春"，就是大家所射的事物必须是玩游戏这间屋子里有的，避免范围太大，不好猜射。宝琴看到了门斗上"红香圃"的"圃"字，想到了《论语》中"吾不如老圃"一句，心中藏起"圃"字，给出了相关字"老"。湘云没能明白宝琴心中曲折，犹自在屋内寻找和"老"相关的东西，自然是不能找到了。探春和宝钗射覆，给出了一个"人"字，和这个字相关的事物实在太多，不便猜射，于是又给出一个"窗"字，这就是"两覆一射"，宝钗立刻会意，"鸡人"、"鸡窗"，探春所想的字是"鸡"字，猜出谜底还不能直接说出来，而是以一个"埘"来回应，《诗经·王风·君子于役》有"鸡栖于埘"句，探春于是知道，宝钗射中了自己的谜底。李纨覆了一个"瓢"字，探春对了一个"绿"字，我们反向推测，李纨用的大概是苏辙《九月三首》中"瓢樽宝挂壁"的句子，探春对的是刘希夷《送友人之新丰》中"愁向绿樽生"句。二人所猜的正是桌上的酒樽。宝钗心中覆了一个"玉"字，给出一个"宝"字，宝玉会意，并想到了南宋郑会《题邸间壁》"敲断玉钗红烛冷"中有"玉钗"一词，给出了"钗"字，这也是射中了，也幸而二人的名字都有典可循，否则还真违反了游戏规则。

　　射覆游戏要求人们在猜射时将一篇一篇的诗词文章不停在脑海中翻转，快速找出其中相关的部分，需得丰富的文学积累和敏捷的才思才能玩儿好，它展现了汉语汉字独特的魅力，是我国古代游艺当中非常雅致的一种，具有极高的艺术性和趣味性。

说书曲艺

说书曲艺是我国传统的民间艺术,它们是一对孪生姐妹,一般来说,说书指只说不唱地讲述故事,如宋代讲史、元代平话、现代的苏州平话、北平说书等。而曲艺往往有说有唱,甚至纯粹以唱的形式来表现,如诸宫调、弹词、鼓词、子弟书、大鼓书、快书等。它们源自民间,也在民间广泛流传,体现着广大人民的情感和生活,也影响着下层民众的世界观、价值观。

"说书"二字最早见于《墨子·耕柱》"能谈辩者谈辩,能说书者说书"。但此时它并非指现在意义上的讲唱故事,元代以前讲唱故事被称为"说话",说书艺人被称为"说话人"。如隋代侯白《启颜录》载:"侯白在散官,隶属杨素,(素)爱其能剧谈,每上番日,即令谈戏弄,或从旦至晚始得归。才出省门,即逢素子玄感,乃云:'侯秀才可为玄感说一个好话。'白被留连,不获已,乃云'有一大虫欲向野中觅肉'云云。"这里"说一个好话"即是指说一个生动有趣的好故事。宋代是我国市民经济急速发展的时期,此时市民阶层壮大,繁华都邑大量出现,说书曲艺在这个时候得到了空前的发展,出现了专门的说书艺人和说书场所。说书艺人在勾栏、瓦舍当中讲唱故事,表演百戏伎艺,汴梁、临安这样的通都大邑遍布着数十处勾栏、瓦舍,其中最大的可以容纳数千人,说书内容也出现了烟粉灵怪、朴刀杆棒、演说佛书、战争兴废等各种类型。

尽管此后政权更迭,朝代变迁,其中也有统治者横施禁令,压制破坏,但说书曲艺整体上一直延续发展着,随着时代的变化,还演变出许多新的种类。明清时期弹词开始流行起来,出现了《天雨花》《笔生花》《凤双飞》《锦上花》等许多优秀的弹词作品。这些弹词作品往往篇幅洪浩，有许多出自女性之手，语辞柔婉，感情细腻，当时扬州地区许多豪门乃至广大妇女都能弹唱，吴侬软语、弦乐清灵，别具特色。弹词在我国南方地区至今仍有大量听众。

北方鼓词在题材内容和表演风格上和南方弹词都有很大不同。或许是北地风俗影响，北方鼓词叙述儿女风月的曲目较少，篇幅也相对短小，多数都是讲述战争兴废、传奇公案的，如《薛家将》《杨家将》《呼家将》《水浒传》《包公案》《施公案》《英雄大八义》《小八义》等，篇幅浩大，往往需要数月才能讲唱完。它们多曲调刚健、节奏鲜明，具有浓郁的北地特色。清末时期，从鼓词演化来的大鼓书开始在各地流行起来，大鼓书并非指演奏所用的鼓大，只因以前鼓词多演大部头的书，人们将其惯称为大鼓书。大鼓书名目繁多，所用乐器也略有不同，梨花大鼓、京调大鼓、奉天大鼓、天津大鼓各具特色，其中以梨花大鼓影响最大，它是大鼓书的主要部分，也涌现出了许多优秀的梨花大鼓表演艺人。晚清谴责小说《老残游记》中对梨花大鼓艺人的表演有着十分生动的描述：

王小玉便启朱唇，发皓齿，唱了几句书儿。声音初不甚大，只觉入耳有说不出来的妙境：五脏六腑里，像熨斗熨过，无一处不伏贴；三万六千个毛孔，像吃了人参果，无一个毛孔不畅快。唱了十数句之后，渐渐的越唱越高，忽然拔了一个尖儿，像一线钢丝抛入天际，不禁暗暗叫绝。那知他于那极高的地方，尚能回环转折。几啭之后，又高一层，接连有三四叠，节节高起。恍如由傲来峰西面攀登泰山的景象：初看傲来峰削壁千仞，以为上与天通；及至翻到傲来峰顶，才见扇子崖更在傲来峰上；

及至翻到扇子崖,又见南天门更在扇子崖上:愈翻愈险,愈险愈奇。那王小玉唱到极高的三四叠后,陡然一落,又极力骋其千回百折的精神,如一条飞蛇在黄山三十六峰半中腰里盘旋穿插。顷刻之间,周匝数遍。从此以后,愈唱愈低,愈低愈细,那声音渐渐的就听不见了。满园子的人都屏气凝神,不敢少动。约有两三分钟之久,仿佛有一点声音从地底下发出。这一出之后,忽又扬起,像放那东洋烟火,一个弹子上天,随化作千百道五色火光,纵横散乱。这一声飞起,即有无限声音俱来并发。那弹弦子的亦全用轮指,忽大忽小,同他那声音相和相合,有如花坞春晓,好鸟乱鸣。耳朵忙不过来,不晓得听那一声的为是。正在撩乱之际,忽听霍然一声,人弦俱寂。这时台下叫好之声,轰然雷动。

停了一会,闹声稍定,只听那台下正座上,有一个少年人,不到三十岁光景,是湖南口音,说道:"当年读书,见古人形容歌声的好处,有那'余音绕梁,三日不绝'的话,我总不懂。空中设想,余音怎样会得绕梁呢?又怎会三日不绝呢?及至听了小玉先生说书,才知古人措辞之妙。每次听他说书之后,总有好几天耳朵里无非都是他的书,无论做什么事,总不入神,反觉得'三日不绝',这'三日'二字下得太少,还是孔子'三月不知肉味','三月'二字形容得透彻些!"旁边人都说道:"梦湘先生论得好极了!'于我心有戚戚焉'!"

优秀的表演艺人不断涌现,保证了说书曲艺能够千年来长盛不衰,各种门类和流派异彩纷呈。引人入胜、技艺高超的表演不仅满足了广大人民的休闲娱乐需求,很大程度上也起着移风易俗、教化民众的作用。民间说书曲艺还直接影响着我国古代通俗小说的产生,具有极高艺术价值的通俗小说《三国演义》《水浒传》《西游记》都是经由说书人的表演不断积累发展、最后由文人润色加工而成的,说书曲艺不仅具有极高的欣赏价值,同是也是我国古代叙事文学的重要组成部分。

原典选读

一

教谕①展先生,洒脱有名士风。然酒狂,不持仪节。每醉归,辄驰马殿阶②。阶上多古柏。一日,纵马入,触树头裂,自言:"子路怒我无礼,击脑破矣!"中夜遂卒。

邑中某乙者负贩其乡③,夜宿古刹。更静人稀,忽见四五人携酒入饮,展亦在焉。酒数行,或以字为令:"田字不透风,十字在当中;十字推上去,古字赢一钟。"一人曰:"回字不透风,口字在当中;口字推上去,吕字赢一钟。"一人曰:"图字不透风,令字在当中;令字推上去,含字赢一钟。"又一人曰:"困字不透风,木字在当中;木字推上去,杏字赢一钟。"末至展,凝思不得。众笑曰:"既不能令,须当受命。"飞一觥来。展即云:"我得之矣!日字不透风,一字在当中。"众又笑曰:"推作何物?"展吸尽曰:"一字推上去,一口一大钟!"相与大笑,未几出门去。某不知展死,窃疑其罢官归也。及归问之,则展死已久,始悟所遇者鬼耳。

——《聊斋志异》卷七《鬼令》

二

朱公徽荫巡抚粤东时,往来商旅,多告无头冤状。千里

---

① 教谕:学官名。元、明、清县学均置,掌文庙祭祀、教育所属生员。
② 殿阶:指文庙前的殿阶。辄驰马殿阶:在文庙殿阶前纵马奔腾。
③ 邑中某乙者负贩其乡:城里有一位行商到他的家乡来做买卖。

行人，死不见尸，数客同游，全无音信，积案累累，莫可究诘。初告，有司尚发牒①行缉。迨投状既多，竟置不问。

公莅任，历稽旧案，状中称死者不下百余，其千里无主，更不知凡几。公骇异恻怛，筹思废寝，遍访僚属，迄少方略。于是洁诚熏沐，致檄城隍之神。已而斋寝，恍惚见一官僚搢笏②而入。问："何官？"答云："城隍刘某。""将何言？"曰："鬓边垂雪，天际生云，水中漂木，壁上安门。"言已而退。既醒，隐谜不解。辗转终宵，忽悟曰："垂雪者，老也；生云者，龙也；水上木为船；壁上门为户；岂非'老龙船户'耶！"盖省之东北，曰小岭，曰蓝关，源自老龙津以达南海，每由此入粤。公遣武弁③，密授机谋，捉龙津驾舟者，次第擒获五十余名，皆不械而服。盖此等贼以舟渡为名，赚客登舟，或投蒙药，或烧闷香，致客沉迷不醒，而后剖腹纳石以沉水底。冤惨极矣！自昭雪后，迩迩欢腾，谣涌成集焉。

——《聊斋志异》卷十二《老龙船户》

---

① 牒：官府往来文书。
② 搢：插；笏：笏板，古代臣下上殿面君时的工具，用以记录提醒，防止遗忘。搢笏指身穿公服。
③ 武弁：武官。